JN051890

魯山人の和食力

日本料理の極意

Rosanjin Kitaoji
北大路魯山人

興陽館

はじめに
買い物上手は料理上手

北大路魯山人

料理を美味く食わすという点からいえば、同じものでもよい器に容れる。景色のよいところで食うことが望ましい。叶わぬまでも、なるべくそういうふうにする心がけが必要である。アパートでも、部屋をよい趣味で整えて食事をする。そういう心掛けが、料理を美味くする秘訣だ。ただ食うだけというのではなく、美的な雰囲気にも気を配る。これが結局はまた料理を美味くする。

絵でも、書でも、せいぜい趣味の高いものに越したことはない。これまた心の栄養で、人間をつくる上の大切な肥料なんだから。

料理というと、とかく食べ物だけに捉われるが、食べ物以外のこれらの美術も人間にとって欠くことの出来ない栄養物なんだから、大いに気を配ることが肝心だ。事実、食事の場合に、生理的にも好い影響があるようだ。

料理に一番大事なことといえば、それは料理のよしあしを識ることである。材料のさかな、あるいは蔬菜など、優れてよいものを用いる場合は、料理は、おのずから易々たるものである。よほど頓馬な真似をしないかぎり、美味い料理のできるのが当然である。

例えば瀬戸内海の生きのよいさかながあって、それが折りわるく下手な料理人の手にかかったとしても、種がよいために、どうにかこうにか美味く食えるものである。野菜にしても、京都のものなどで、新しいものを料理するならば、文句なしに美味いと決っているのである。それが場ちがいのもので、しかも古びた、さかなでいうなら、色の褪せた、臭気のあるようなものでは、いかに腕のある料理人でも、どうしたって美味くはならないものである。野菜にしても、萎びて精気を欠いていては、味も香気もなく、ただもうつまらない食物にしかならないのである。こう考えて物が判るとき、材料のことをまず第一に心がけねばならぬ必要が起こるのである。材料の良否を心がけると同時に、次には材料の見分けがしかと掴めなくてはならないのである。

それには経験が充分できていないと、材料を目前にして、よしあしが分らないであろうから、買い物学とでもいう買いものの苦労を重ねなくてはならないのである。例えば婦人が呉服ものの選択に苦労するようにである。見れども見えず、食えどもその味が分らないというようでは、料理を拵える資格もなければ、食う資格もないわけである。材料の良否は人の賢愚善悪にも等しいもので、腐ったようなさかな、あるいは季節はずれの脂っ気を失ったさかななどは、魂の腐った人間に比することもできれば、低能あるいは不良に比すべきもので、優れた教育家の苦心が払われたとしても、その成果はおぼつかないものであると同様である。

ことに食物の材料は、さかなひと切れにしても、だいこん一本にしても、同じ値段で相当良否の別がある場合が間々あるのであるから、まず物を見てよいと認識して後、はじめて買いものをする習慣をつけることが肝要である。男なら酒のよしあしをやかましくいう酒呑みのように、ものの吟味を注意深くするようになれば、料理のよしあしが語れるわけである。

そこで概念的に考えねばならぬことは、値段の安いものは概して下らぬものが多く、値段が高いものは総じて品物がよいということである。それは何物でもある。ただし、掘り出しものは別である。それはいうまでもない。

●——「料理馬鹿」より

魯山人の和食力　目次

第一章　和の味覚は茶漬けにはじまる

鮪の茶漬け

第二章　鍋さえあれば胃も心もまるくおさまる

夜寒に火を囲んで懐しい雑炊

第三章　魚の味の見わけ方、食べ方

第四章　いい寿司屋わるい寿司屋の見分け方

握り寿司の名人

第五章　和食の極意

日本料理の基礎観念

第六章　魯山人料理おぼえがき

装幀　間村俊一
挿画　矢吹申彦

第一章　和の味覚は茶漬けにはじまる

鮪(まぐろ)の茶漬(ちゃづ)け

ご飯は生暖(なまあたた)かにさめたもの、茶は上等な粉茶(こなちゃ)にかぎる

たい茶漬けは世間に流布(るふ)され、その看板をかけている料理屋さえ出来てきた。関西ではもちろんのこと、東京でも近来よく見かけるようになった。また、家庭にも侵入して、実際に試みられるようにさえなっている。それなのに、たいより簡単で、美味(うま)いまぐろの茶漬けが用いられていないのは、ふしぎな気がする。

たいは関西がよく、まぐろは東京がいい。

その意味からいっても、東京は、たい茶漬けよりまぐろの茶漬けを用いてしかるべきであろう。

東京に、もし京阪のような食道楽が発達していたら、おそらく、今日までまぐろの茶漬けを見逃してはいなかったであろう。そういう私も、まぐろの茶漬けは京都で覚えたもので、東京人から教わったものではなかった。今後の東京人は、たい茶漬けなんて関西の模倣をやらないで、堂々と江戸前のまぐろをもって、たい茶漬けに対すべきである。東京には関西のような、美味なたいがないから、なおさらである。

茶漬けの御飯

御飯の炊き方がやわらかく、ベタベタするようなのは一番いけない。すしの飯の程度がいい。炊きたての御飯ではいけない。生暖かにさめた程度がいい。茶漬けにもよりけりだが、魚の茶漬けには冷飯は絶対にいけない。

お茶の出し方

かける茶は番茶では美味くない。煎茶にかぎる。煎茶の香味と苦味とが入用である。少し濃い目の茶をかけると、調和がとれる。茶が薄くては不味い。だから、粉茶の上等がいいというわけになる。

粉茶のだし方は人も知るように、粉茶専用の小さなざるがある。これはすし屋で使っているものである。それで、すし屋の用いるように、大目ざるに一杯程度入れて水をさす。なぜなら、粉茶は茶の残りを集めたいわば茶のくずであるから、埃などがまじっていよう。これを洗滌する意味で、ざるの中に入れた茶に水をさすと、乳白色に水がよごれてこぼれてくる。これを捨て、ざるの中の粉茶に熱湯を注ぐ。

この場合、熱湯を少しずつ注げば、茶は濃くなり、ざあっと一気にお湯を注げば、茶は薄くなる。熱湯の注ぎ方によって、濃淡自在にお茶は加減できる。

お茶漬けには、熱湯を少しずつ注いだ濃い目のものを用いるのがよい。しかし、抹茶（まっちゃ）や煎茶にしても、最上のものを用いることが秘訣だ。茶が悪いと、茶漬けの中に、なにが入っていようが駄目（だめ）である。

要するに、茶がよくなければ茶漬けの意義がない。

茶漬けのまぐろ

さて、茶漬けに用いるまぐろだが、しびまぐろ【編者注＊くろまぐろ＝本まぐろ】がいい。しびまぐろは、ふつうすし屋で使っているまぐろのことである。まぐろのトロといって、白っぽい、脂っ濃いところをよろこぶ。脂っ濃いところは、男の四十歳以前の好みである。四十歳以後になると、だんだん脂っ濃いものから嗜好（しこう）が遠ざかる。

茶漬けに用いるまぐろの材料も、トロ、中トロ、赤身、好みによって選択すればいいわけである。脂の少ない赤身は赤身で美味いし、脂の多いところはまたトロで美味い。まぐろの質さえ吟味(ぎんみ)すれば、各人の好みに任せて、材料をととのえるべきである。

しびまぐろのほかに、かじきまぐろだとか、きはだまぐろとかがある。これらを茶漬けに用いても、決して悪いものではない。しかし、きはだとか、かじきは脂肪が少ないから、脂っ濃いものを好む人たちには、ちょっと軽い感じである。老人向き、女人向きなどには、かえってこの方が適していよう。それも実験して、各自の嗜好に任せればよいと思う。

まぐろ茶漬けの作り方

茶碗(ちゃわん)に飯を盛る時、腹の空(す)き加減にもよろうが、ぜいたくものは飯を少なく盛ることである。飯を多く盛ると、茶がたくさん入らぬ。労働者の食べる茶漬けは、飯がたくさんで茶の少ないのが美味い。だから、大き目の茶碗がよい。ぜいたく者の茶漬けは、飯が少なくて茶が多いほうが美味い。

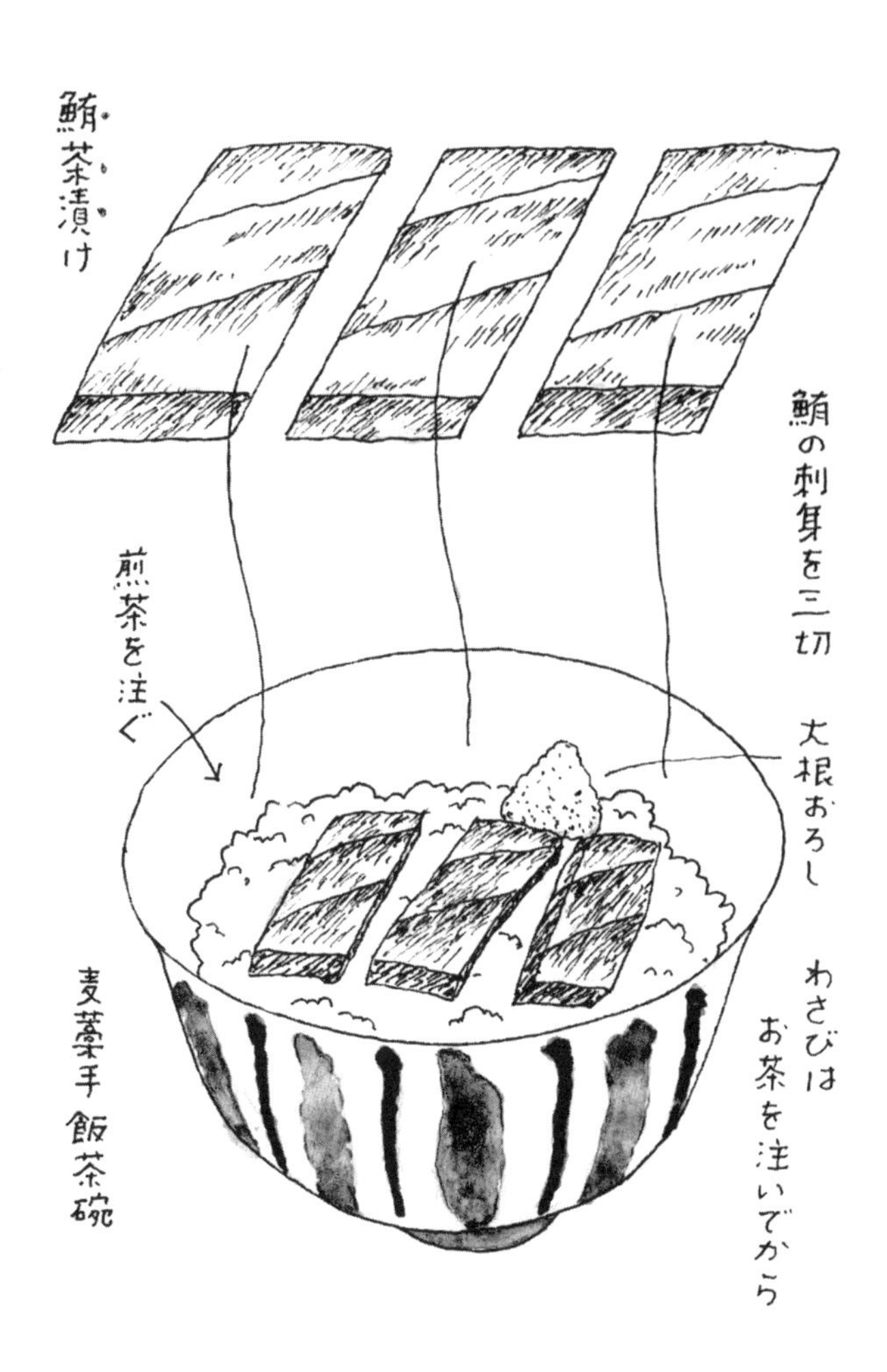

鮪・茶漬け
鮪の刺身を三切
煎茶を注ぐ
大根おろし
わさびは
お茶を注いでから
麦藁手飯茶碗

飯の多い方の茶漬けは番茶がいいが、飯の少ない方の茶漬けには煎茶を可とする。

飯は茶碗に半分目、もしくはそれ以下に盛って、まぐろの刺身三切れを一枚ずつ平たく並べて載せる。それに醤油を適当にかけて加減する。大根おろしをひとつまみ、まぐろのわきに添えればなおよい。

並べたまぐろの上に、徐々にかたすみから熱湯を、粉茶のざるを通して注ぐ。まぐろの上の方から平均してまんべんなくかけていくと、まぐろの上皮がいくらか白んでくる。そうして、御飯が透明な煎茶におおいかぶさり、上のまぐろが、茶に浸る程度に茶を注ぐ。

次に、まぐろを箸で静かに御飯の中に押し込むようにすると、裏の方のまだ赤い色をしたところまでが白くなってくる。透明な茶は乳白色になり、醤油もまじって茶碗の中にこもってくる。

まぐろを半熟以上に熱しては、美味は失われてしまう。

もっと味を濃くしたい人は、ここで茶碗の蓋をして、しばらく静かに放置し、中に充分に味がこもるのを待って、濃淡好みの茶漬けとした上で、口に掻き込む段取りとなるのである。

どちらかといえば、蓋をしない茶漬けの方が香気も高く、熱く、まぐろも熱し過ぎないので、美味しいのであるが、蓋をする方は、飯がほとびて、いけない。その上、まぐろが熱し過ぎるというのは野暮である。まぐろの生っ気を好まない人は余儀ないことであるが、前者のやり方の茶漬けに越したことはない。

この茶漬けは、ほかになにひとつ惣菜を用いる必要がなく、最後にひと切れの香のものを添えて、ぜいたくな味を満足させれば足りる。

まぐろ茶漬けのわさびは、お茶を注ぐ前に飯茶碗の中に入れては、辛さが消えてしまう。お茶を注いでおいて、最後に入れてまぜて食べる方が、わさびの効きめがある。

鱧(はも)の茶漬(ちゃづ)け

焙(あぶ)ったものを箸(はし)で圧(お)し潰(つぶ)し、蓋(ふた)をして一分間蒸(む)らして食べる

茶漬けの中でも、もっとも美味(うま)いもののひとつに、はもの茶漬けがある。これは刺身でやるたい茶漬けと拮抗(きっこう)する美味さだ。洋食の流行する以前の京、大阪の子どもに、「どんなご馳走(ちそう)が好きか」とたずねると、「たい」と「はも」と、必ず答えたものだ。それほど、たいとはもは京阪(けいはん)における代表的な美食だった。

はものいいのは、三州(さんしゅう)【編者注＊三河国(みかわのくに)の別名】から瀬戸内海(せとないかい)にかけて獲(と)れる。従って、今も京阪地方の名物のようになっている。はもは煮ても焼いても蒲鉾(かまぼこ)に擂(す)り潰しても、間違いのないよいさかなである。とりわけ、焼いて

食うのが一番美味い。焼きたてならばそれに越したことはないが、焼き冷ましのものは、改めて遠火で焙って食べるがよい。要するに、焼いたはもを熱飯の上に載せ、箸で圧し潰すようにして、飯になじませる。そして、適宜に醤油をかけ、玉露か煎茶を充分にかけ、ちょっと蓋をする。こうして、一分間ばかり蒸らし、箸で肉をくずしつつ食べるのである。

はもは小味ないい脂肪があるために、味が濃くなく、舌ざわりがすこぶるいい。しかも、やり方が簡単だから、関西人でこの茶漬けを試みない者はなかろう。しかし、東京で試みようとすると、ちょっと容易ではない。なぜなら、今、東京にあるはもは、多く関西から運ばれるので、そうたくさんはない。従来の東京料理には、これを用いることがなかったために、魚屋の手にすら入らないことになっている。東京で、はもを求めようとするには、関西風の一流料理屋によって求めるよりほか仕方があるまい。

それにしても、東京に来ているはもは、関西で食うように美味いわけにはいかぬ。また、東京近海で獲れるはもは、肉がベタベタして論にならぬ。そこで、代用品というのも当たらないかも知れないが、あなごとか、うなぎとかが同じ用に役立つ。

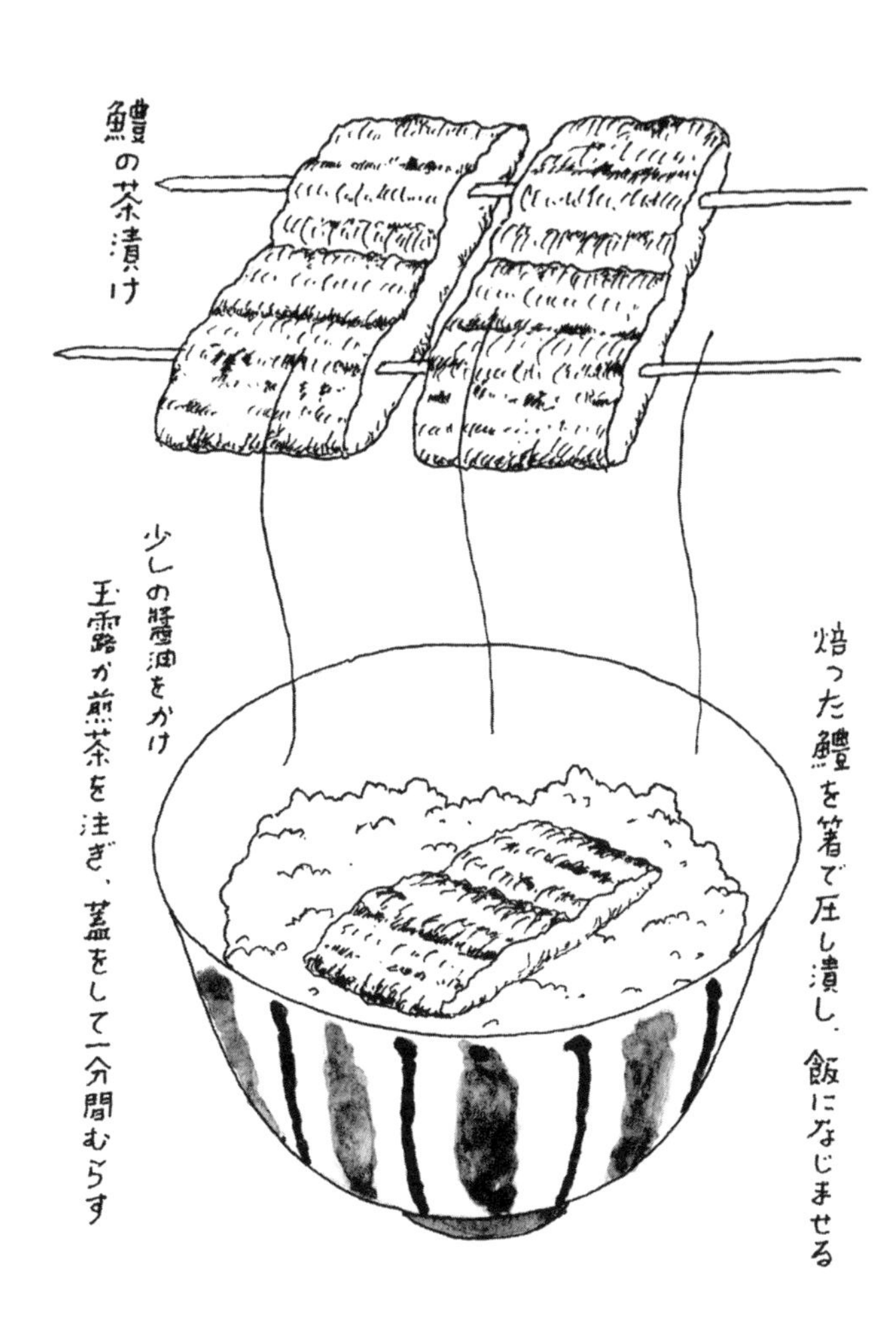
鱧の茶漬け
焙った鱧を箸で圧し潰し、飯になじませる
少しの醤油をかけ
玉露か煎茶を注ぎ、蓋をして一分間むらす

穴子の茶漬け

醤油につけて焼き、ざくざくに切り熱飯にのせる

あなごもいろいろ種類があって、羽田、大森に産する本場ものでなくては美味くない。これも茶漬けにするには、その焼き方を関西風にならうがいい。東京のうなぎのたれのように甘いたれではくどくて駄目だ。京阪でうなぎに使うような醤油に付けて焼くのがいい。それを茶漬けにするには、細かくざくざくに切り、適宜に熱飯の上に載せ、例のように醤油をかけて茶をかける。

これも、ややはもに似た風味があって美味い。しかし、はもと違って、あなごでもうなぎでも少々臭みがあるから、すりしょうが、または粉山椒

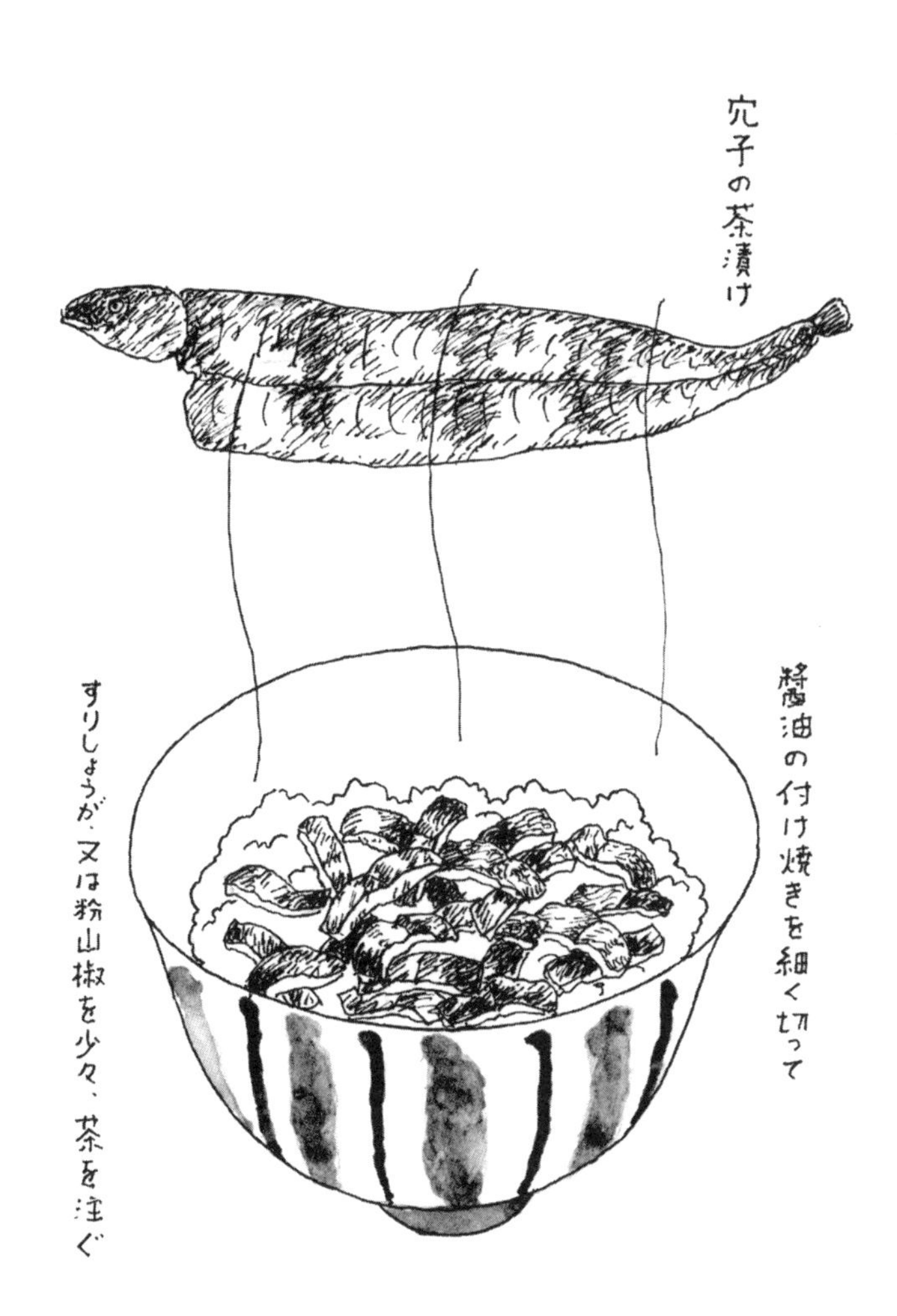
穴子の茶漬け
醤油の付け焼きを細く切って
すりしょうが、又は粉山椒を少々、茶を注ぐ

を、茶をかける前に、箸の先にちょっと付けるくらい入れた方がいい。

あなごの美味いのは、堺近海が有名だ。東京のはいいといっても、関西のものに較べて調子が違う。焼くには堺近海のがよく、煮るとか、てんぷらとかには東京のがいい。

鰻の茶漬け

蒸さずに直焼きのほうが、茶漬けには適す

次はうなぎだが、この場合のうなぎは宵越し、例えば翌日に残ったものの、焼き冷ましを利用していい。この時は、醤油を付けて一ぺん火に焙る必要がある。本来は江戸前風に蒸しにかけないで、関西風に直に焼くがいい。醤油のたれを甘くしないで、直焼きにしたものの方が茶漬けには適する。

直焼きのうなぎは、もとより、肉や皮が多少はかたいけれど、茶漬けの時はあつい茶をかけて、しばし、蓋をするために直焼きであっても、すぐ皮がほとびて、結構やわらかくなる。

うなぎもクセの激しいものだから、茶漬けに用いるようなのは、よほど

材料を選択しないと美味(うま)くない。第一、養殖うなぎはなんとしてもいけない。これはクセの有無(うむ)にかかわらず、やわらかいだけが特徴で、決して美味いものではない。かといって、天然のうなぎが必ずしもいいとはいえない。これはうなぎの項（注＝第三章）で述べた通りである。

　要するに、はも、あなご、うなぎの茶漬けを美味く食べようというようなことは、もとよりぜいたくな欲望であり、これを賞味する味覚の働きもデリケートなものであるから、これを志すほどの者は、材料のよしあしを充分注意してかからなくてはならぬ。

　なお、はも、あなごの材料選択の際、馬鹿に大きいのは買わないように注意することである。焼き上がりの幅が、せいぜい一寸(いっすん)【編者注＊一寸＝三・〇三cm】から一寸五分以下のものにかぎる。大きいのはなんに用いても、大味(おおあじ)で駄目(だめ)なものだ。うなぎの大串(おおぐし)はまだしも、あなごの大串に至っては、絶対におもしろくない。

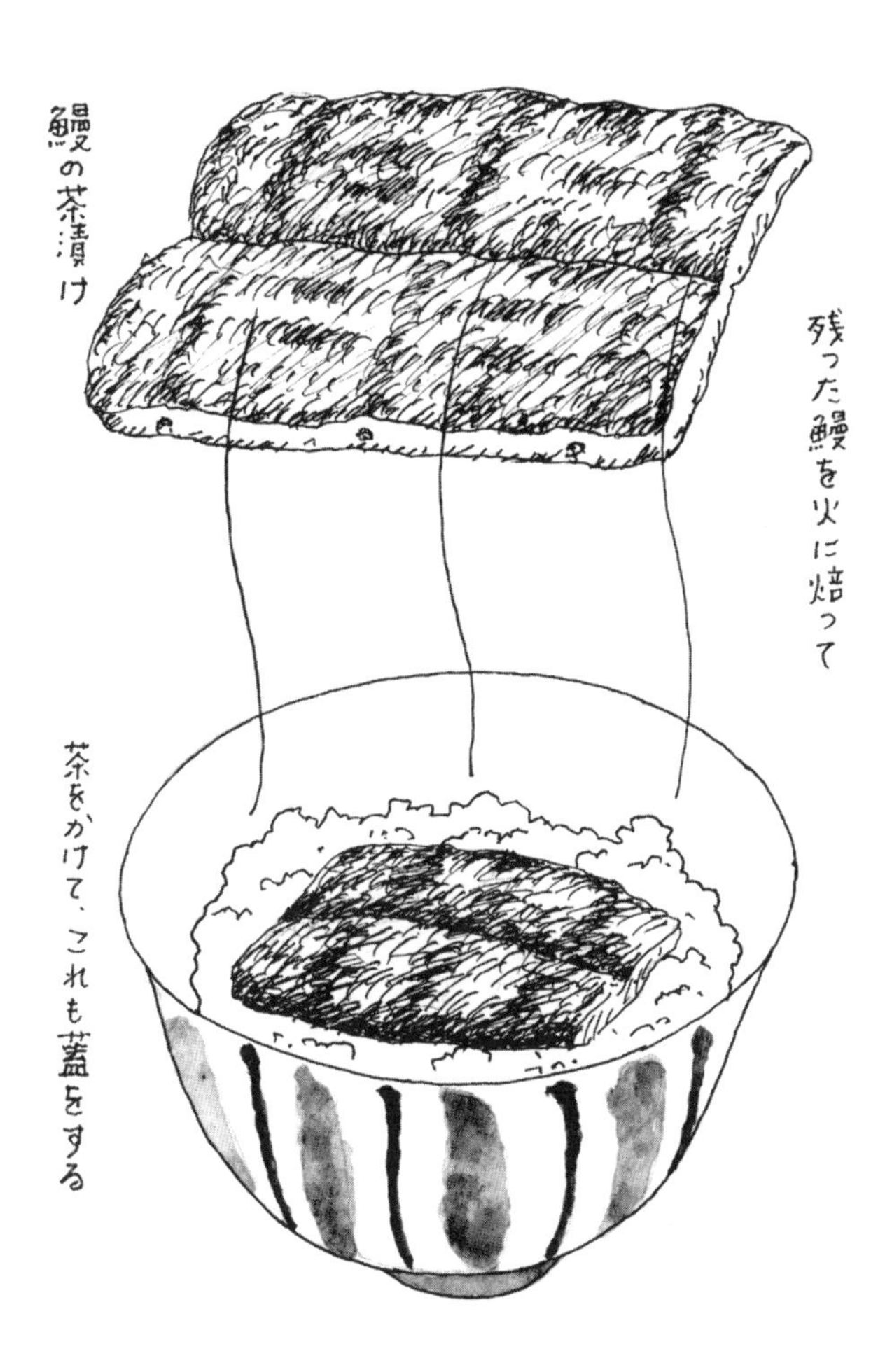
鰻の茶漬け
残った鰻を火に焙って
茶をかけて、これも蓋をする

車蝦の茶漬け

ほんものの食通は佃煮風の醤油と酒で煮たのを賞味する

えびのぜいたくな茶漬けを紹介しよう。これまた、その材料の吟味いかんによる。これから述べようとするのは、東京の一流てんぷら屋の自慢する、まきと称する車えびの一尾七、八匁【編者注＊一匁＝三・七五g】までの小形のもので、江戸前の生きているのにかぎる。横浜本牧あたりで獲れたまきえびを、生醤油に酒を三割ばかり割った汁で、弱火にかけ、二時間ほど焦げのつかないように煮つめる。

こんなえびは誰の目にも無論見事だし、一尾ずつで上等のてんぷら種になる材料だから、よほど経験のある食通でなければ、やってのける度胸は出まい。これをいきなり佃煮風にするのは、もったいない気がして、ちょいとやりきれないが、それをやりおおせるなら、その代わり無類のお茶漬けの菜（さい）ができるわけだ。つまり、本場の車えびを醤油と酒で煮た佃煮である。

例のように熱飯（あつめし）の上に載（の）せる。茶碗が小さければ半分に切ってもいい。それに充分な熱さの茶を徐々（じょじょ）にえびの上からかける。すると、醤油は溶けてえびは白くなる。やがて、だしが溶けて、茶碗の中の茶は、よきスープとなって、この上なく美味（うま）いものとなる。

季節はいつでもよいが、夏など口の不味（まず）い時に、これを饗応（きょうおう）すれば、たいていの口の奢（おご）った人でも文句はいわないだろう。

えびは京阪（けいはん）が悪くて、東京の大森、横浜の本牧（ほんもく）、東神奈川辺（あたり）で獲れる本場と称するものがいい。こういうものを賞味するようにならなければ、食通とはいえまい。

この食通も、てんぷらなら二十や三十はわけなくペロリと平らげるが、
茶漬けという名がつくと妙におじけだす。

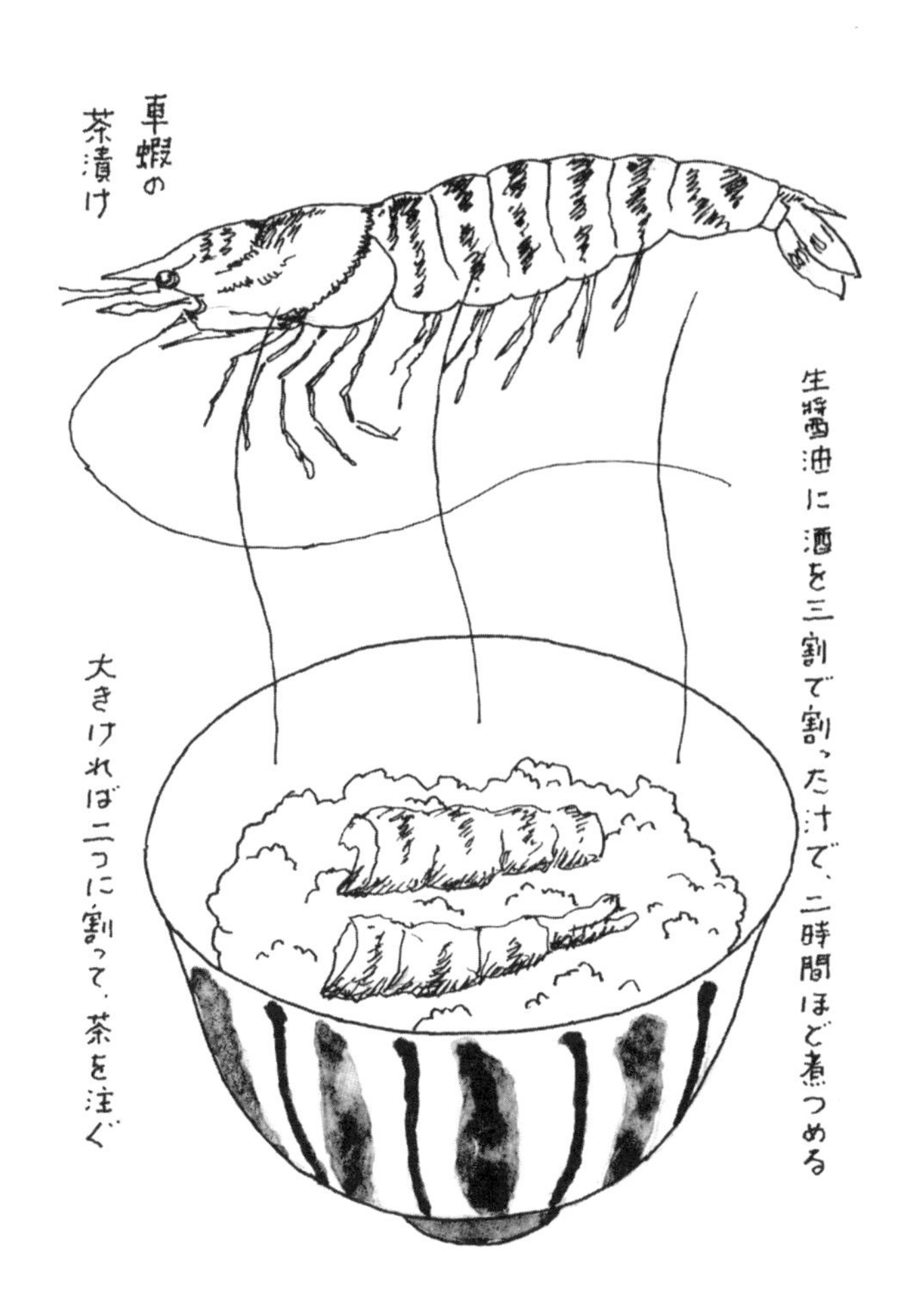
車蝦の茶漬け
生醤油に酒を三割で割った汁で、二時間ほど煮つめる
大きければ二つに割って、茶を注ぐ

京都のごりの茶漬け

天下一のぜいたく、茶漬けの王者

京都のごりは加茂川に多くいたが、今はよほど上流にさかのぼらないといないようである。桂川では今でもたくさん獲れる。ごりは浅瀬の美しい、水の流れる河原に棲息する身長一寸ばかりの小ざかなである。

ごりといっても分らない人は、はぜのような形のさかなと思えばいい。腹に鰭でできたような吸盤がついていて、早瀬に流されぬよう河底の石に吸いついている。

ごりには大小さまざまの種類があるが、ここに登場するごりは小さなごりで、一寸以上に大きくならぬようである。それが証拠に、小さなくせに卵を持っている。身は短小なれど非常に美味いさかなである。

京都の川肴料理では、赤だし（味噌汁）椀に、七尾入れることを通例としている。こんな小さなものを七尾入れて、立派な京名物が出来るのだから、その美味さが想像できるだろう。従って値段も高い。たくさん獲れないからである。とても、佃煮なんかにして食べるほど獲れないのだ。にもかかわらず、佃煮にして食べようというのであるから、ごり茶漬けは天下一品のぜいたくといわれるのである。

今では、生きたのが一升二千円見当もするだろう。これを佃煮にすると、かさが減るから、ぜいたくにおいて随一の佃煮である。

ごりの佃煮とは要するに、高いごりを生醤油で煮るのである。それを十尾ばかり熱飯の上に載せて、茶をかけて食べるのである。

昔からごりの茶漬けは有名なものだが、おそらく京都でも食べたことのある人は少ないであろう。京都以外の人では、名前も存在も知らぬ人が多いかも知れない。

食通間では、ごりの茶漬けを茶漬けの王者と称して珍重（ちんちょう）している。しかし、食べてみようと思えば、大してぜいたくなものではない。なぜなら、高いといったところで、一椀十尾ばかりですむことであるから、金にすればなんでもない。ただ五尾か七尾で、名物吸いものにしているのを目前に見ているので、思い切って佃煮にする勇気がしぶるだけのことである。もったいないが先に立って、やっぱり味噌汁にして、平凡に食べてしまうようになる。

このごりは、どこの川にでもいるようだが、京都のは小さくて、粒が揃（そろ）っている。

篤志（とくし）の方は、京都に行かれた節にでも、料理屋に命じて、醤油で煮つめさせ、一つ試みられてはいかが。これさえ食べれば、一躍茶漬けの天下取りになれるわけである。

ごりの茶漬け
ごりを生醤油で煮る
つまり佃煮である
これを十匹ばかりのせて、茶を注ぐ

ついでに茶漬けとは別な話であるが、京都には「鷺知らず」という美味い小ざかながある。

塩昆布の茶漬け

夏の食欲のすすまぬときの最良の美食

私の語るのは、ことわるまでもなく趣味の茶漬けで、安物の実用茶漬けではない。そのつもりで考えていただきたい。

とは申しても、もともと昆布のことであるから、さして高価なものではない。ところで塩昆布だが、そこいらに売っているものでは、まず駄目だ。所詮、昆布がよくて、これを煮る醤油がよくなくては駄目なので、この点、売りものの仕入れ品などは適当でない。

この昆布は京都の松島屋、東京ならば築地魚河岸の特産店、日本橋室町の山城屋とかが取り扱っているものだ。つまり、だし昆布の上等でなくては駄目なのである。京都には、こういう店はいくらもある。

醤油はヤマサくらいでよいだろう。また、塩味の好きな人は醤油に塩を加えるのもよかろう。塩を加えた昆布の佃煮は、塩でじゃきじゃきする。それまで煮つめるのが美味しい煮方である。しかし、直火ではなく、湯煎で煮つめるのである。一段と美味く煮るのには、醤油一升を使うとしたら、その中に酒を三合ほど入れるがいい。酒のおかげで美味い塩昆布になる。煮た塩昆布をそのまま茶漬けにするのも、もとより異存はないが、山椒の好きな人は、山椒の実の若くやわらかい時に、昆布といっしょに煮るといい。

あるいは唐辛子などを入れるのもいい。または関西ものの「ちりめんじゃこ」をいっしょに煮るのもいい。雑魚という原料の相違によって、東京のは例え昆布がよくても問題にならない。雑魚と昆布と煮たものは、さかなの味と植物の味の関係でなかなか美味い。ただし、この場合の雑魚は小さ

塩昆布の茶漬け

（"えびすめ"でという手も……）

煎茶のよいのをかける

なのを選ぶべきである。要するに、前述のどれでもいいが、例のごとく飯(めし)の上にのせて、煎茶(せんちゃ)のよいのをかけて茶漬けとする。

茶漬けは、なにもかもが口に不味(まず)い時、例えば盛夏のように食の進まぬ時、もっとも適当な美食として働く。塩昆布などで茶漬けをやる時は、沢庵(たくあん)漬けなど、むしろない方がいい。

第二章

鍋さえあれば
胃も心もまるくおさまる

鍋(なべ)料理の話

貝類は多く使うと味をわるくする

冬、家庭で最も歓迎される料理は、なべ料理であろう。煮たて、焼きたてが食べられるからである。

なべ料理では、決して煮ざましを食べるということはない。クツクツと出来たての料理を食べることが、なによりの楽しみである。だから、なべ料理ほど新鮮さの感じられる料理はない。最初から最後まで、献立(こんだて)から煮て食べるところまで、ことごとく自分で工夫し、加減をしてやるのであるから、なにもかもが生きているというわけである。材料は生きている。料理する者は緊張している。そして、出来たてのものを食べるというのだから、そこにはすきがないのである。それだけになんということなく嬉しい。そして親しみのもてる料理といえよう。

しかし、材料が鮮魚、鮮菜という活物が入った上での話である。入れるものがくたびれていたのでは、充分のものはできない。これは、なべ料理にかぎらぬ話であるが、念のため申し添えておく。

家庭でやるなべ料理は、原料はこれとこれだけと、決っているわけではない。前の晩にもらった折詰ものだとか、買い置きの湯葉だとか、麩だとか、こんにゃくだとか、あるいは豆腐を使おうと、なんでも独創的に考案して、勝手にどんなふうにでもやれるのである。

「なべ料理」のことを、東京では「寄せなべ」というが、上方では「楽しみなべ」ともいっている。なぜ「楽しみなべ」というかといえば、たいの頭があったり、蒲鉾があったり、鴨があったり、いろいろな材料がちらちら目について、大皿に盛られたありさまが、はなやかで、あれを食べよう、これを食べようと思いめぐらして楽しみだからである。

「楽しみなべ」という名称は、実によくあてはまっている。しかし、「寄せなべ」というのは、なんだか簡単すぎて感じのよい名前ではないと思う。「なべ料理」は先にもいった通り、材料がいろいろあるし、それを盛る盛り方にもなかなか工夫がいるのである。この点を注意しないで、ぞんざいに扱うと、いかにも屑物(くずもの)の寄せ集めみたいになってしまう。

関東の風習は、薄く平らに並べるようであるが、あまり感心しない。ふぐみたいなものは大皿に並べざるを得ないが、それは特殊なことであって、「なべ料理」の材料を盛るのは、深鉢(ふかばち)にこんもりと盛るのがよろしい。材料はさっき述べた通り、なんでもよい。ただ感心しないのは貝類である。貝類は、ほんのわずかならかまわないが、多く使うと、どうも味を悪くするキライがある。貝類は結局だしをわるくして、ほかのものの味まで害するからいけない。また、貝類はさかなや肉にも調和しない。外国料理は、シチュー、カレー、スープの中によく貝を使っているが、マッチしていないのが多い。これは、外国には貝類も魚類も少ないので重宝(ちょうほう)がっているせいだろうが、料理の味をこわしているのが大方(おおかた)だ。

それとは逆に、日本では貝類がいくらでも取れるので、ぞんざいに使用しているようだ。貝類を多量に使用すると、あくどい料理になってしまうので、よい料理とはいえない。貝類はなるべく混合させぬ方がよいだろう。

さて、だしのことだが、人によって好みはさまざまである。あっさりしたのが好きだという人もある。あっさりしたのは、たいがい酒を飲む人に向く。飯(めし)を食うのには、いくらか味の強いのがよいかも知れない。この辺も「寄せなべ」は自分の好み通りにいくから、まことにもってこいの料理である。

たれは、あらかじめちゃんと調合してつくっておくことが大切である。初めから終りまで一定の味のたれでやるのでないと、材料がかわるたびに、砂糖を入れる、醤油を入れる、水を入れるという具合で、甘かったり、辛かったり、水っぽかったり、味がまちまちになってしまう。それではおもしろくない。また、幾人もが代わるがわる世話をすると、必ずこういうことになる。ひとりきりで世話をするにしても、味加減というものは、厳密に一致するとはいえないから、どうしても、前もって料理に必要な分量だけつくっておくのがよい。

味はあまり強めでないのがよいが、これはその家の風でこしらえるのがよいと思う。たれをつくるには、すでにご承知であろうが、砂糖と醤油と酒とを適当に混和する。酒はふんだんに使うのがよろしい。かんざましでよい。アルコール分は含まれていなくていいのだし、飲んで酔おうというのとは異なるから、かんざましでよいわけである。ごく上等の酒を、思い切って多く用いるのがよい。

なべ料理は材料が主としてさかななので、だしにはかつおぶしより昆布のほうがよい。「なべ料理」は出来たて、煮たてと、すべてが新鮮だからいいので、おでん屋というものがはやるのも、ここに一因があるわけだ。あれは決して料理がいいからはやるのではない。あの安料理のおでんが美味いのは、つまり、出来たてを待っていて食うというところにあるので、実際は美味いものでもなんでもないのである。舌を焼くような出来たてのものを食べるから、おでんは美味いものと評判になってはいるが、その実、粗末な食物なのだ。

粗末なおでんすら、出来たて故に私たちの味覚をよろこばすのであるから、お座敷おでんといえる「なべ料理」は、相当の満足を与えるに相違ない。私はおでんもてんぷらも、立ち食いをした経験をもっているから、その味がおよそどんなものだか分っている。ところが、私の考えているなべ料理となると、それらとは、はるかに距離のある高級なものである。その方法は、創作的に、独創的にやられればよい。

なべ料理は、気のおけぬごく懇意な間柄の人を招いて、和気あいあい、家族的に賑々しくつきあうような場合にふさわしい家庭料理といえよう。

一品ごとに鍋のなかの具を片付ける

次につくり方、食べ方の要領をお話ししよう。たいを煮ると仮定しよう。三人か五人で食べるなべだとすれば、その人数が一回食べるだけの分量のたいを煮る。煮えたらそれをすっかり上げてしまう。次に野菜を入れる。たいの頭(かしら)などは、よくスープを出すからだしがふえる。ところが野菜はだしを吸収する。そういう材料の性質をみて、だしの出るもの、だしを吸うものを交互に入れて煮るというふうにする。そうして一回ごとになべの中をきれいに片付けて、最後まで新鮮な料理が食べられるようにする。食べ方にもこのような工夫がいる。

私は「なべ料理」の材料の盛り方ひとつにしても、生け花と寸分違(すんぶんたが)わないと思っている。生け花というのは、自然の草や木を、自然にあるままに活かそうというので、そのためにいろいろ工夫をする。料理も自然、天然の材料を人間の味覚に満足を与えるように活かし、その上、目もよろこばせ、愉しませる美しさを発揮さすべきだと思う。そのこころの働かせ方は、花を活けることとなんらの違いもない。

ふつうの家庭では、なにかの時だけ、儀式的なことに、無闇と飾りたてたりしながら、平常はぞんざいにものごとを扱っている弊風があるのを、私はどうもおもしろく思わない。美的生活をなそうとするには、特別な時だけでは駄目である。いつでも、どんなものにも、美を生み出す心掛けを忘れてはならない。

私の考えていることは、日常生活の美化である。日々の家庭料理をいかに美しくしていくかということである。材料に気を配るとともに、材料を取扱う際の盛り方からまず気をつけて、いかにすべきかと工夫するのだ。工夫は細工ではない。工夫とは自然にもっとも接近することだ。なべ料理の材料の盛り方ひとつでも、心掛け次第で、屑物（くずもの）の寄せ集めに見えたり、見る目に快感を与え、美術品に類する美しいものに見えたりする。そういう区別が生ずるのである。

盛り方を工夫し、手際（てぎわ）のよいものにしたいと思う時、当然そこに、食器に対しての関心が湧（わ）いてくる。すなわち、陶器にも漆器（しっき）にも目が開けてくるという次第になるのである。

一癖あるどじょう

柳川どじょうの大ものは蒲焼に適し、うなぎとは異なった風格を有す

どじょうなべ。美味くて、安くて、栄養価があって、親しみがあり、家庭でも容易にでき、万事文句なしのもの。ただし、貴族的ではない。これがどこへ行っても歓迎を受けているのは、もっともな話である。

なべものは一般に冬のものと決まっているところへ、こればかりは夏のものであることも、大方の興を呼ぼう。東京では、どじょうなべというより「柳川」というほうが通りがいい。なぜ柳川という名称が生じたか。

古老の話によると、幕末のころ、日本橋通一丁目辺に「柳川屋」という店があり、ここでかつて見たこともない「どじょうなべ」なるものを食わ

した。幸いそれが当たって、江戸中の評判となり、いつとはなしに、どじょうなべのことを柳川というようになった。これが柳川の名称の起こりだという。そんなところから、通人は柳川で一杯などとシャレるに至ったものらしいということだ。

　また、柳川は九州柳川の換字（かえじ）ではないだろうか——というのもある。柳川は日本一の優良すっぽんの出るところ。一望千里（いちぼうせんり）の田野（でんや）を縫（ぬ）う賽（さい）の目のような月水濠は、すっぽんとともに優良などじょうを産する。ほかでは見られないまでに、持ち味すばらしく、かつ大量に産し、現に大阪市場にまで持ち込まれている。

　いったいどじょうは癖のあるもので、その癖に両面がある。その一面は、どじょうにとって、なくてはならぬ独特の持ち味であるが、他の一面は、下品な臭気を伴うことである。柳川のどじょうは、そのいやな面がまったくなく、まことに結構この上なしのものである。

すっぽんも、ふつうひと癖もふた癖もいやな癖のあるのを免れないものであるが、柳川産にはそれがない。このめずらしい特色は、今後ますます認識されて、いよいよ市価を高めてゆくであろう。

柳川どじょうの大もの、五寸【編者注＊一五cmほど】ぐらいなのは、蒲焼きに適し、うなぎとはぜんぜん異なった風格を有し、心うれしい気の起こるものである。どじょうにかぎって、小さいのを無理に蒲焼きにしても一向あり難くない。

どじょうの良否を見分けるには、まず卵に着眼し、卵の絶無のものを第一とし、以下なるべくこれの少ないものを選ぶべきである。卵の多いものは、肝心の肉付きが少ない。どじょう割きは、素人の手に負えぬものとなっているが、それは急所に錐が打ち込めないからで、その急所は目の付け根とおぼしいところの背骨にある。この個所に錐を打てば、どじょうは一遍に参ってしまう。

小どじょう、大どじょうともに味噌汁に丸ごと入れることが一番美味いとされているが、十人中九人までは、丸ごとの姿を見ただけで、ぞっとしてしまうから、これはいかもの食い向きとしておくべきであろうか。四、五寸のものを丸ごと照り焼きにして、皿に盛る際、頭と尾を切り落とし、棒状形にして膳にのぼす。これならば、家庭で試みてもよいものである。東京では埼玉の越ヶ谷辺の地黒というどじょうが上物で大きく、以前、うなぎの大和田あたりで盛んに蒲焼きにして、「どかば」と称して、一時人気を呼んだものである。

どじょうなべの要点はだしで、表側の卵【編者注＊とじにする溶きたまご】を汚さぬ工夫、だしを笹がきごぼうの下にだぶだぶ残さない工夫、卵を笹がきの中まで沈めない工夫、この三つができたら本格である。

夜寒に火を囲んで懐しい雑炊

牡蠣雑炊

焼のりは
かきとよく出合う

元来、美味な料理ができないという理由は、料理する人が鋭敏な味覚の舌をもたないことと、今一つは風情というものの力が、どんなにうまく料理を工夫させるかを知らないからに基因する。この風情とは、美的趣味と風流とが主になって働きかけ、まず見る眼を喜ばせ、次に食べる心を楽しませるのである。

しかし、料理という仕事も至芸の境にまで進み得ると、まことに僅少な材料費、僅少な手間ひまでなんの苦もなく立ちどころに天下の美料理を次から次と生むことができるものである。よく主婦の料理下手を非難するもののあることを耳にするが、一家の主婦に料理の上手を求めようとするほどの者は、まずもって求める者以上に、主婦をしてよい料理体験をなさしめることである。

こんなものを作ることは、まったくなんでもないことで、誰にでもわけなくできるものである。誤って大そうに考えるようなことがあっては馬鹿を見る。まず普通のお粥を拵える。できたお粥の中に水を切ったかきのむき身を入れ、五分ぐらいたって、火からおろし、せりがあれば微塵に切って振りかければ、それでかき雑炊は完成したわけである。茶碗に取れば、かきのよい香りとせりの香りが、いかにも快い。色調もよい。そのまま塩をふりかけ、かきまぜて食べるのもよく、そば出し汁程度のつゆをかけて食べるのもよい。また、単に醤油をおとして食べてもよい。

焼きのりはかきとよく出合う。あらくもんでふりかけて食べると、さらに充分を尽した味といえよう。かきの分量は、だいたい粥の四分の一くらいでよく、せりは粥の十分の一くらいもふりかければよろしい。煮え加減について、もう一度繰り返せば、かき雑炊の粥は、サッと煮えたアッサリした粥が、かきの風味とよく合う。かきは煮過ぎないこと、せりは火からおろしてふりまぜること。その程度の煮加減を選ぶがよく、とにかく、熱いのを吹き吹き食う妙味は、初春の楽しみの一つである。

納豆雑炊（なっとうぞうすい）

煎茶（せんちゃ）をかけて食べるのが通人の仕事

納豆が嫌いとあっては話にならないが、納豆好きだとすれば、こんなに簡単に、こんなに調子の高い、こんなに廉価（れんか）な雑炊はないといったくらいのものである。

これも前と同じく、お粥（かゆ）を拵（こしら）えて、粥の量の四分の一か五分の一の納豆を加え、五分もしたら火からおろせばよい。納豆はそのまま混ぜてもよいが、普通に納豆を食べる場合と同じように、醬油（しょうゆ）、辛子（からし）、ねぎの薬味（やくみ）切を加えて、充分粘（ねば）るまでかき混ぜたものを入れるとよい。

雑炊の上から煎茶のうまいのをかけて食べるのもよい。通人の仕事である。水戸方面の小粒納豆があれば、さらに申し分ないが、普通の納豆でも結構いただけることを、私は太鼓判を捺して保証する。

餅雑炊

焼きのり、炒りごま、七味、薬味ねぎが加われば申し分なし

餅の雑炊は、正月の餅のかけら、鏡餅のかけらなどを適宜に入れてお粥を煮ることである。出来たお粥に焼いた餅を入れてもよい。粥と餅とのなじみがおいしい雑炊なのである。

塩加減で食べてもうまく、そば出し汁程度の出汁、あるいは味噌汁をかけて食べるのもよい。これに納豆を加えると、さらにうまい。焼きのり、炒りごま、七味、薬味ねぎなどを、好みに応じて加えれば申し分なしといえる。

猪肉雑炊（ししにくぞうすい）

大根の千切りを、
肉に加えて煮ると吉

これもまずお粥（かゆ）を拵（こしら）えることである。いのししの肉は牛肉や鶏（にわとり）のように大（たい）してうまい味があるというものではないから、白色の脂身（あぶらみ）が入用（いりよう）である。白い脂身と赤い肉と混ざったものを細かに切り、皮山椒（かわざんしょう）を少々加えて、別の鍋に淡白な味付けで汁たくさんに煮る。これに生の薬味ねぎを加えてお粥と混ぜ合わせ、すぐに食べることである。混ぜ合わせて、再び煮返えすと、その味はあくどくなる。

　いのしし肉の分量は、粥の六分の一ほどでよい。だいこんを千切りにしたものを、いのしし肉といっしょに煮て加えることは、だいこんなしから見れば上々吉、しいたけをきざみ込むのもよい。

そのかわり、夜食にこれで満腹すると、その夜は暖まり過ぎて寝られない。このこと御用心、御用心。しか肉雑炊も同断、ぶた肉の雑炊も同断。

ただし、うさぎ肉はなんとしてもうまくない。

鳥肉雑炊

どんな鳥の肉であっても、熱くなくてはうまくない

料理屋では、うずらをもって自慢気に作る習慣がある。蓋し、うずらが一番美味であるからである。しかし、つぐみ、山鳥類、小鳥類、なんであっても、同じ用途として効果がある。それぞれ味に良否の区別はあるが、大同小異と知っておいてまちがいはない。

ミンチにかけるなどの方法で肉を細かくし、これを米といっしょにお粥に煮て、出し汁をかけて食べるのも一方法であり、また、一法としては、微塵肉にした鳥を、味付け煮にして、出来上がったお粥の中へ加えて、攪拌し、すりしょうがを加えて食べるのもよい。

なんにしても、フーフー吹きながら食べるまでに、熱くなくてはうまくないことを、ぜひ心得ておくことが肝要。肉雑炊の冷えたのなどは、頼まれても食えるものではないからである。

なめこ雑炊

餡かけを拵えて、かけて食べるのがぜいたく者

なめこは缶詰でよいから、缶から出したらザッと水洗いする。缶六、七十銭【編者注＊戦前の昭和一四年頃の値段】のものを五人前に使えば適宜といえよう。やはり、これも薄味付けしたお粥を拵えて、できた粥の中へなめこを入れる。温まった程度でよい。煮過ぎるとなめこの癖が出て食べられない。茶碗に六、七分目取り、餡【編者注＊出汁とかたくりこで作ったあん】かけ饂飩の餡で、人の知る餡を別に拵えてかけて食べる。なかなかしゃれたもので、ぜいたく者ほど喜んでくれるもの。餡の上にすりしょうが一つまみ添えて出すことを忘れてはならない。

蟹雑炊（かにぞうすい）

かに肉に刻みしょうがを加えるのがコツ

ずわいがにでも、わたりがにでもなにがにでもよいから、新鮮なかにの肉だけをむしり取り、これも粥（かゆ）がほぼ出来上がったところへ入れる。かにの身は粥の五分の一くらい、刻（きざ）みしょうがを加えれば、香気をよくする。缶詰のかにならばよく水をしぼって用いるとよい。缶詰臭いのは、しょうがを心してよけいに入れれば、ある程度までは防ぐことができるものである。これも餡（あん）をたっぷりかけて出すのが一番よろしい。

焼き魚の雑炊

絶対に
骨と鱗を混ぜぬこと

雑炊に禁物なのは、生臭いことである。ゆえに生魚で作ることは考えものである。焼き魚であればたい、はも、はぜ、きすなどは最上である。さば、ぶり、いわしなどは臭気があって適材とは申されない。

概して、たいのような赤色皮の魚がよい。青黒色の魚はなんであっても感心しない。しかし、青黒皮のはもは例外の佳肴である。要するに、焼き魚という条件を中心にして工夫すべきである。わざわざ素焼きにしても可、塩焼き、付け焼きともに可。宴会土産の折り詰の焼き魚を利用するなども狙いである。この雑炊には、薬味ねぎに刻んだものを、混合さすことなどは賢明な方法である。刻み、あるいはすりしょうがを加えることも大きな必要事項と知っておくべきである。

　この雑炊に対する一大注意事項は、絶対に骨と鱗とを混ぜぬ用心である。些細な骨一本混ざっただけで、もはやこの雑炊は安心して食べていられなくなるからである。

　以上の他に、しゃれた雑炊は無数にある。いちいち挙げてはいられぬくらいのものである。

　青菜の雑炊……青菜を琅玕翡翠にして出す。

　生の千切りだいこん雑炊……だいこん煮込み飯に似たものの雑炊。

　天下のピカ一ふぐ雑炊。白魚と青菜の雑炊。若鮎の雑炊。このわたの雑炊。牛肉のカレー雑炊。ウドの雑炊。木の芽雑炊。うずらの卵、はとの卵、新筍の雑炊等、私のかつて体験した、あるいは自作したものだけでも未だ数十が挙げられる。

もう一度繰り返せば雑炊の要（かなめ）は、種の芳香（ほうこう）を粥（かゆ）にたたえて喜ぶこと。熱いのを吹き吹き食べる安心さ。なんとなく気ばらぬくつろぎのうまさなど、今や雑炊の季節ともいいうる。

第三章

魚の味の見わけ方、食べ方

鮪を食う話

まぐろの中のまぐろ
しびまぐろ

東京ほどまぐろを食うところはあるまい。夏場、東京魚河岸で扱うまぐろは一日約一千尾という【編者注＊この原稿は昭和五年に書かれたもの】。秋よりこれからの冬に約三百尾を売りさばくというのであるから、東京のまぐろ好きが想像されようというもの。

夏場の千尾は、つまり夏漁が多いのであって、冬の三百尾は冬の漁獲がそれだけなのである。冬は夏の三分の一より漁獲がないのである。そうして、これらの産地は全部を北海道といってよい。

去年の夏のことだが、北海道の漁場で一尾の価一円でなお取り引きがなかったという。東京の刺身一人前一円【編者注＊現在の価値に換算するとだいたい二千五百円ぐらいか】と較べては、大変な開きである。もちろん、一尾一円は肥料の値段である。

もっとも春二月より五、六月ごろまでは、九州種子島方面から相当に入荷があるようであるが、これは質がわるいとされている。まぐろの一番美味いのは、なんといっても三陸、すなわち岩手の宮古にある岸網ものであるる――ということになっている。

私の経験においても、この宮古ものがまったく一番結構である。このまぐろはずいぶん大きく、一尾五、六十貫から百貫【編者注＊三百七五kg】近くあって、立派なものである。もちろん、しびまぐろである。この大きな先生が岸網というぶりの網に自然に入ってくるので、これを巧みに小さな舟にたぐり上げるということである。しかし、この宮古ものというのは、きわめて僅少であるから魚河岸にもあったりなかったりで、いつでもあるとはいかない。ここ以外で捕ったものは、とうてい宮古もののような美味さがないので、自然宮古ものは珍重されている。

まぐろの中で一番不味いのは、鬢長という飛魚のような長い鰭を備えているもので、その形によって鬢長というらしい。これは肉がべたべたとやわらかく、色もいやに白く、その味、もとよりわるい。とうてい美食家の口には問題にならぬ代物である。しかし、まぐろの少ない時季には、三流どころの刺身として盛んに用いられている。

ところが、この鬢長君も世に出る時が来て、一昨年は盛んに米国へ輸出されて、あんまりバカにならぬことになった。というのは、これを油漬けにしてサンドイッチに使ったというのである。すなわち、米国では鬢長まぐろのサンドイッチを発明してこれが流行したのである。日本では薄遇の鬢長、米国にもてるというので、一昨年のことだ、漁村の仲買人はいっせいに輸出準備をしたのであったが、時も時、鬢長君なにを感じるところあったか、自身米国近海に遊泳したので、昨年は米国において鬢長大漁とあって、日本の鬢長は再び断髪流行の日本に薄遇をこうむることになった。

まだこのほかに東京人の賞美するまぐろの類に、かじきがあり、きはだがある。また、めじという小さなのがあるが、これはその味わいもまぐろの感じよりかつおに近く、これを賞美する方も、その感じで食っているからまぐろとしての話柄から除く。

さて、このきはだやかじきという奴も、東京には年中あるようなものだが、十二月より三月ごろにかけてあるものは、おおむね台湾からやってくるので、いわゆる江戸前の美味さはない。なんといっても、きはだは八、九月ごろ、沼津、小田原辺からくるものが江戸前である。かじきは房州銚子、東北三陸よりの入荷が一番とされている。長崎からもくる。

以上のように、宮古のしびまぐろ岸網ものを第一として、これから季節とともに、だんだんとまぐろ好きをよろこばす次第である。

まぐろの話をすると思い出すが、かつて私は大膳頭（だいぜんとう）であった上野さんに、宮古のまぐろをすすめたことがある。その時、上野さんは、

「こんな美味いまぐろを未だかつて食べたことがない」

といわれた。必ずしもお世辞ばかりではなかったらしい。われわれから考えると、いやしくも宮内省の大膳頭である。およそ天下の美食という美食、最上という最上、知らざるものなしといった調子のものであろうと想像していたのとは、案外の言葉を聴いたのであった。それならばと、このまぐろは宮古の産であって、この肉はしかじかの部分だということを説明した。上野さんの頭の中には、御上（おかみ）のさる御一人が、まぐろを好ませ給（たま）うので、このような最上のものがあるとするなら、献上してみたいという考えがあったのではないかと思ったからである。

とにかく、ひと口にまぐろといっても、こうなると、なかなか最上はおいそれと口にのぼらぬわけである。食う方を語らずに、うかうか脱線して、

どうでもよいことをくどくどしゃべりすぎた。これから食う方の経験を一、二述べてみよう。

まぐろは大根おろしで食うのが好適

まぐろ通から存外等閑(ぞんがいとうかん)に付されているものは、大根おろしである。

「この大根おろしはいけないや、もっと生きのよい大根をおろしてくれないかなあ」

というような方は滅多(めった)にない。わさびのことは、色・辛(から)さ・甘さ・ねばりなどをやかましくいう食通はあるが、大根おろしの苦情を聴くことは、ほとんどない。ところが、まぐろとか、てんぷらというものは、おろしのよしあしで、ずいぶん風味に大なる影響があるものである。てんぷらなどは畑から抜きたての大根のおろしがあれば、油の少しわるいくらいは苦にならぬものである。抜きたての大根で、辛味が適当であれば、まぐろなどはわさびの必要がないくらいである。大根がわるいからわさびが入用(いりよう)だが、元来、わさびはまぐろに好適というものではない。おろしさえよければ、わさびはなくもがなである。

　握りずしのように、まったくおろしを用いない場合は、ぜひともわさびは必要であることは論を俟(ま)たない。故(ゆえ)にまぐろのすしは、涙がぼろぼろこぼれるほど、さびの利(き)いたのをすし食いは賞美する。ところが羊羹(ようかん)のような赤身は脂肪分が少ないからさびが利くが、中脂肪以上、トロなんという脂肪のきついところになると、さびの辛味は脂肪で跳ね飛ばされて一向に辛くない。

　屋台店(やたいみせ)などに立つすし食いは、「さびを利かしてくんな」と馬力をかけるが、すし屋の方では、まぐろの安いときは、さびの方が高くつく場合があるから、こんな連中ばかりやってきてはやりきれないが、「さびなしで……」なんという衛生的食道楽(くいどうらく)もあるから、埋め合わせはつくというものである。

しかし、まぐろはちょっと臭い癖のあるものであるから、この場合も、ぜひしょうがの酢漬けだけ添えて、いっしょに食べたいものである。私の食い方なぞは、さびの利いた上に、しょうが二、三片ぐらいをすしの上に載せてやる。

すしは酒の肴としてずいぶん用いられているが、どうもまぐろは酒の肴として好適ではない。これは飯のものである。だから、握りずしで食うのが第一、熱飯の上に載せて食うのが第二である。まぐろの茶漬けなぞも通人のよろこぶものである。（まぐろの茶漬けというものは、炊きたての御飯の上に、まぐろを二切れ三切れ、おろし少々載せて、醤油をかけ、その上から煎茶の濃い熱いのを注いで食うのである）事実、東京において消耗されるまぐろの七分通りは、すしの原料とされているようである。

まぐろの握り

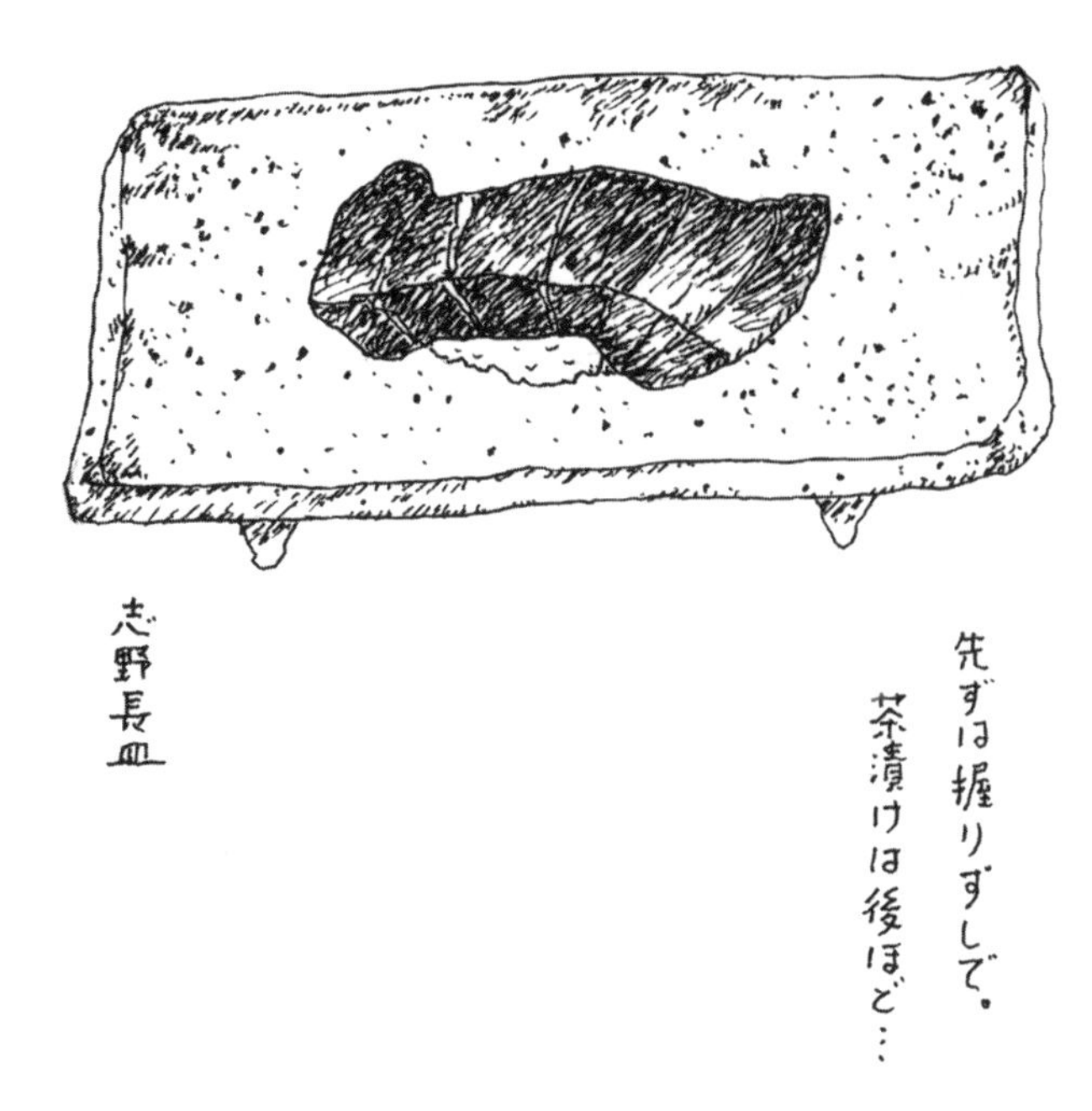

すし、てんぷら、そば、うなぎ、おでん、いずれも酒の肴として落第

元来、東京の自慢であるたべものは、概して酒には適さない。すし、てんぷら、そば、うなぎ、おでん、いずれも酒の肴としては落第だ。おでんで飲む向きもあるが、これは他に適当な酒肴がない場合だ。まぐろの消費量の七分はすしに使うといったが、もちろんそれは夏過ぎて涼風が立ち、だんだん冬に向かうようになってからのことであって、夏のしびまぐろは、たいてい切り身となって魚屋の店頭を賑わすのである。

魚河岸における一日約一千尾の大まぐろは、大部分が焼き魚、煮魚として夏場のそうざいとなるのである。もっとも冬場でも、まぐろの腹部の肉、俗に砂摺りというところが脂身であるゆえに、木目のような皮の部分が噛み切れない筋となるから、この部分は細切りして、「ねぎま」というなべ

ものにして、寒い時分、東京人のよろこぶものである。すなわち、ねぎとまぐろの脂肪とをいっしょにして、すき焼きのように煮て食うのである。年寄りは、くどい料理としてよろこばぬが、血気壮んな者には美味いものである。

聞くところによると、いわゆる朝帰りに、昔なら土堤八丁とか、浅草田圃などというところで朝餉に熱燗でねぎまとくると、その美味さ加減はいい知れぬものがあって、一時に元気回復の栄養効果を上げるそうである。

また脇道に逸れたが、男の美味いとするまぐろの刺身の上乗なものは、牛肉のヒレ、霜降りに当たるようなもので、一尾の中、そうたくさんあるものではない。胴回りでいえば、砂摺りと背に至る中間、身長でいえば、頭の付け根より腹部の終わりぐらいまでのところを中トロとしてよろこぶのである。ここばかり食うのには、特別投資を必要とするわけである。婦人はというと、これは羊羹色の脂身の少ない部分、男が食べては美味くないというところをよろこぶ。これは体質の相違だろうから、一概に女をわからず屋とするわけにはいかぬ。男だって、鮎は照り焼きにかぎるとか、にしんや棒だらなんて人間の食うもんでない肥料だ、なんていう向きもなきにしもあらずだから。

まぐろの食い方に雉子焼きというのがある。これはまぐろの砂摺りを皮ごと分厚に切って付け焼きにするのである。体中で一番脂肪に富んだところであるから、焼くのがたいへんだ。家の中で焼こうものなら、家中煙ってしまう。しかし、焼きたてのやけどするようなものを、大根おろしをたくさんおろして、醤油をかけて炊きたての飯で食うと、空腹のときなどは、飯が飛んで入るものである。下手なうなぎよりか、よっぽど美味い。しかし、壮年のよろこぶ下手美食であることはいうまでもない。

下手といえば、まぐろそのものが下手ものであって、もとより一流の食通を満足させる体のものではない。いかに最上の宮古まぐろといってみて

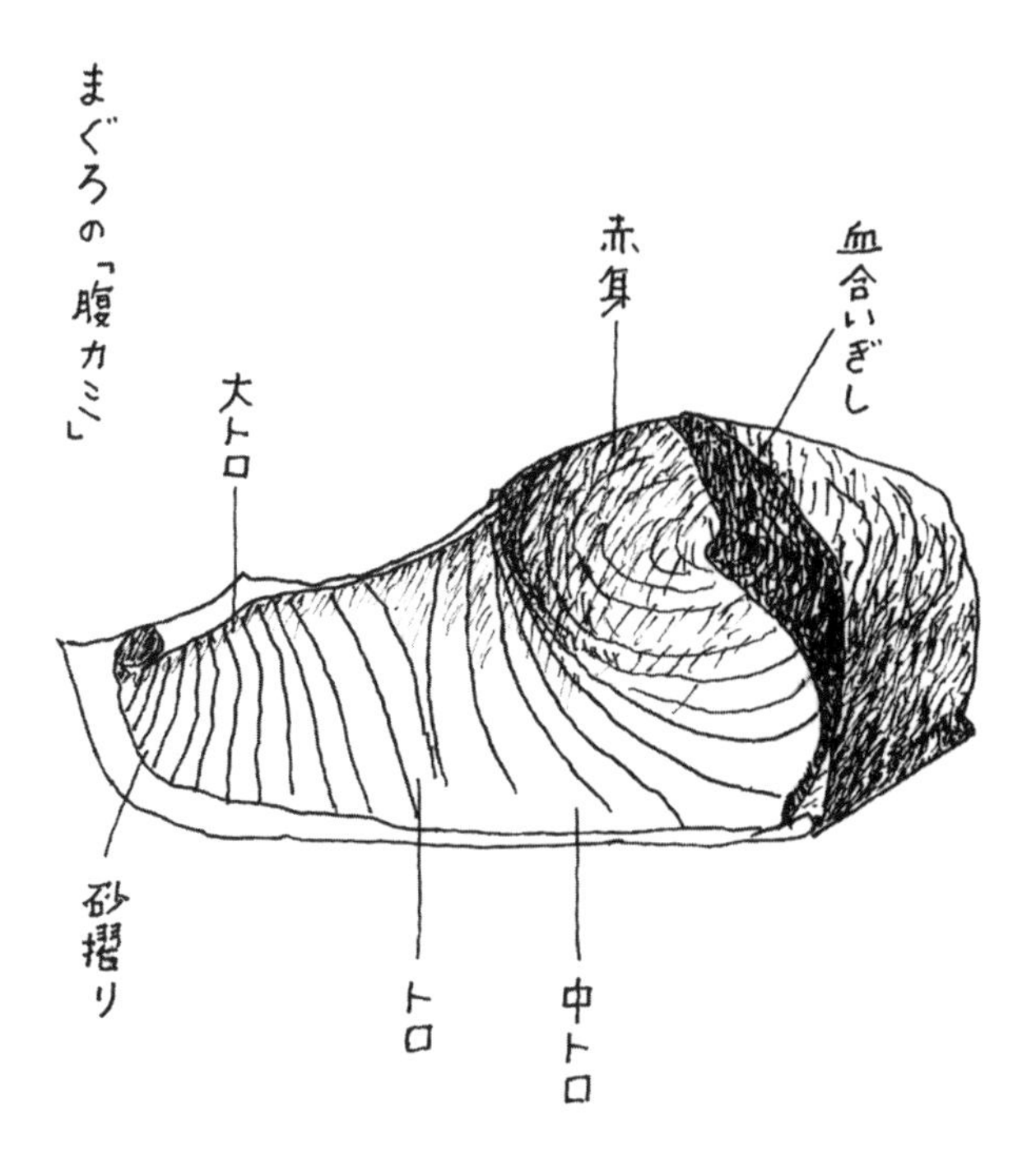
まぐろの「腹カミ」
大トロ
赤身
血合いぎし
砂摺り
トロ
中トロ

も、高の知れた美味にすぎない。

以上挙げた以外にも、まぐろ類には値段の安い白色肉のめかじき（切り身用）、同じく白肉の黒皮、この黒皮まぐろは肉太で、八、九十貫もあって値も安い。また、白皮まぐろ、これは銚子、三陸方面に漁獲のあるもの。また、おかじき、まかじき、大きさ三十貫止まりのもの、二十五、六貫止まりの夏きわだ。最下等品の眼の大きい横太なめばち。なお、中めじ、大めじ、平めじなどというものなどについては、折を見て物語ることにしよう。

いなせな縞の初鰹

鎌倉小坪に揚がるかつおを第一とする

鎌倉を生きて出でけん初鰹　芭蕉
目には青葉山ほととぎすはつ鰹　素堂

初がつおが出だしたと聞いては、江戸っ子など、もう矢も楯もたまらずやりくり算段……、いや借金してまで、その生きのいいところをさっとおろして、なにはさておき、まず一杯という段取りに出ないではいられなかったらしく、未だに葉桜ごろの人の頭にピンと来るものがある。ところで初がつおというもの、いったいそんなにまで騒ぎたてられるゆえんはなにか。

前掲の句の作者は元禄時代の人だから、その時代に江戸っ子が初がつおを珍重したのはうかがえるが、今日これは通用しない。

「鎌倉を生きて出でけん」と想像しつつ当年の江戸で歓迎された初がつおは、海路を三崎廻りで通ったものではあるまい。陸路を威勢よく走って運ばれたものであろうが、それにしても日本橋の魚河岸に着く時分は、もはや新鮮ではあり得なかったろう。それでも江戸っ子は狂喜して、それがために質まで置いたというから大したものだ。

私の経験では、初がつおは鎌倉小坪（漁師町）の浜に、小舟からわずかばかり揚がるそれを第一とする。その見所は、今人と昔人と一致している。鎌倉小坪のかつお、これは大東京などと、いかに威張ってみても及ぶところではない。

現今、東京に集まるかつおは漁場が遠く、時間がかかりすぎている。それはそれとして、初がつおというもの、それほど美味いものかという問題になるが、私は江戸っ子どもが大ゲサにいうほどのものではないと思う。

　ここでいう江戸っ子というのは、どれほどの身分の人であるかを考えるがよい。富者でも貴族でもなかろう。質を置いてでも食おうというのだから、身分の低い人たちであったろう。それが跳び上がるほど美味がるのであるが、およそ人物の程度を考えて、ハンディキャップをつけて話を聞かなければなるまい。

　冬から春にかけて、しびまぐろに飽きはてた江戸人、酒の肴に不向きなまぐろで辛抱してきたであろう江戸人……、肉のいたみやすいめじまぐろに飽きはてた江戸人が、目に生新な青葉を見て爽快となり、なにがなと望むところへ、さっと外題を取り換え、いなせな縞の衣をつけた軽快な味の持ち主、初がつお君が打って出たからたまらない。なにはおいても……と、なったのではなかろうか。

　初がつおに舌鼓を打ったのは、煮たのでも、焼いたのでもない。それは刺身と決まっている。この刺身、皮付きと皮を剥ぐ手法とがある。皮の口に残るのを嫌って、皮だけを早く焼く方法が工夫された。土佐の叩きがそれである。しかし、土佐の叩きは、都会の美味い料理に通じない土地っ子が、やたらに名物として宣伝したので、私の目にはグロであり、下手ものである。焼きたての生暖かいのを出されては、なんとなく生臭い感じがして参ってしまう。しかし、土佐づくりは皮付きを手早く焼き、皮ごと食うところに意義があるのだろう。

　元来、どんな魚類であっても、皮と肉の中間に美味層を有するものである。それゆえ、皮を剥ぎ、骨を去ってしまっては、魚の持ち味は半減する。物によっては、全滅するとまでいっても過言ではなかろう。それはもとよりかつおだけにかぎったことではない。

　たいのあら煮が美味いというのも、実は皮も骨もいっしょに煮られているからなのである。

鰹縞と初鰹の図

昔は春先の初がつおを、やかましくいったが、今日では夏から秋にかけてのかつおが一番美味い。これは輸送、冷凍、冷蔵の便が発達したことによるものと思われる。大きさは五百匁(もんめ)から一貫匁(かんめ)【編者中＊三・七五kg】ぐらいまでを上々とする。

鮎(あゆ)の食い方

鮎は産地の一流どころで食うに限る

いろいろな事情で、ふつうの家庭では、鮎を美味(うま)く食うように料理はできない。鮎はまず三、四寸(すん)【編者注＊一〇cmから一二cmぐらいのもの】ものを塩焼きにして食うのが本手(ほんて)であろうが、生きた鮎や新鮮なものを手に入れるということが、家庭ではできにくい。地方では、ところによりこれのできる家庭もあろうが、東京では絶対にできないといってよい。東京の状況がそうさせるのである。仮に生きた鮎が手に入るとしても、素人(しろうと)がこれを上手(じょうず)に串に刺して焼くということはできるものではない。

鮎といえば、一般に水を切ればすぐ死んでしまうという印象を与えている。だから、非常にひよわなさかなのように思われているが、その実、鮎は俎上にのせて頭をはねても、ぽんぽん躍り上がるほど元気溌溂たる魚だ。そればかりか、生きているうちはぬらぬらしているから、これを摑んで串に刺すということだけでも、素人には容易に、手際よくいかない。まして、これを体裁よく焼くのは、生やさしいことではない。

　もちろん、ふつうの家庭で用いているような、やわらかい炭ではうまく焼けない。尾鰭を焦がして、真黒にしてしまうのなどは、せっかくの美味しさを台なしにしてしまうものだ。いわば絶世の美人を見るに忍びない醜婦にしてしまうことで、あまりに味気ない。

　こういうわけで、家庭で鮎が焼けないということは、少しも恥ずかしいことではない。見るからに美味そうに、しかも、艶やかに、鮎の姿体を完全に焼き上げることは、鮎を味わおうとする者が、見た目で感激し、美味さのほどを想像する第一印象の楽しみであるから、かなり重要な仕事と考

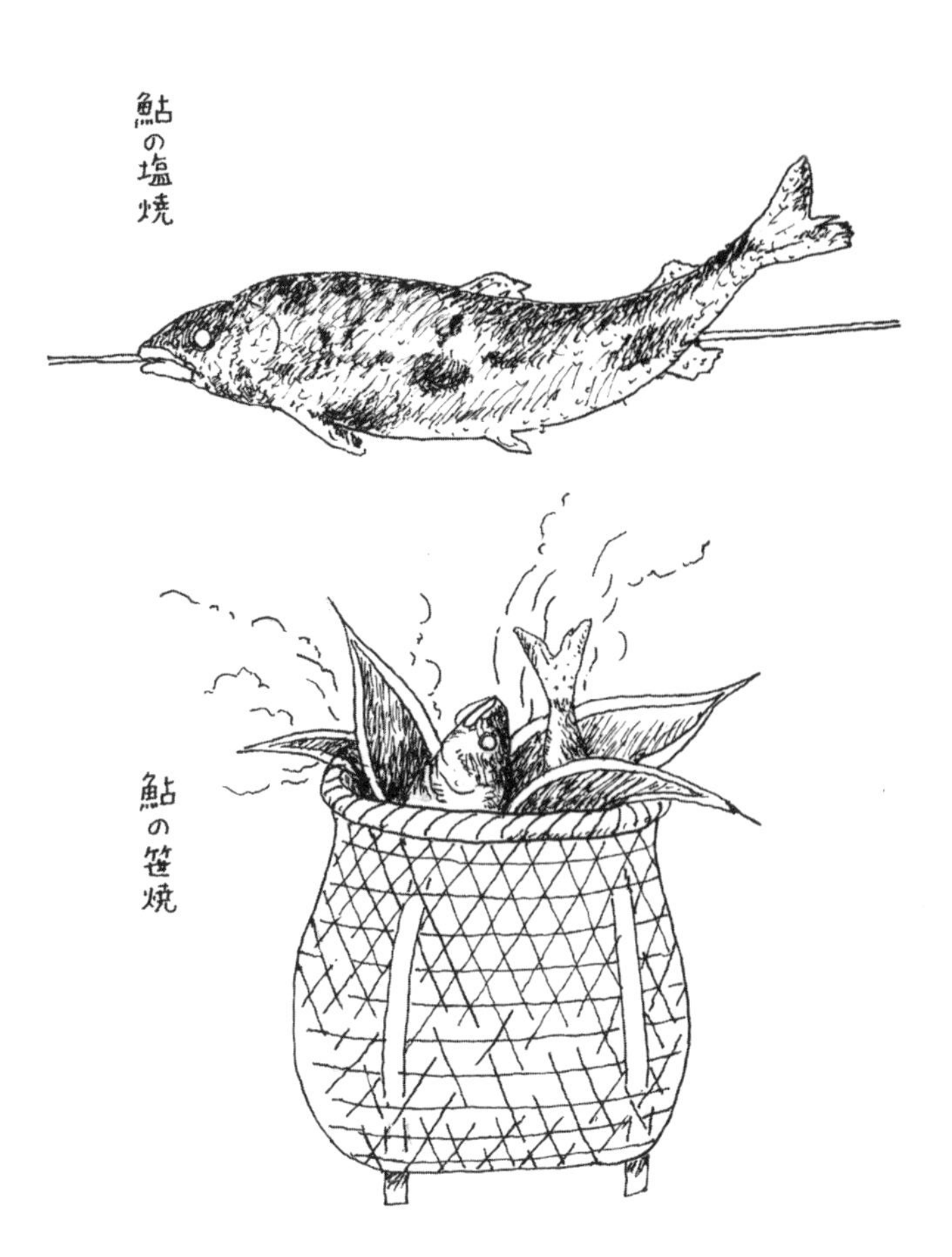
鮎の塩焼
鮎の笹焼

えねばならぬ。だから、一流料理屋にたよるほかはない。

いったい、なんによらず、味の感覚と形の美とは切っても切れない関係にあるもので、鮎においては、ことさらに形態美を大事にすることが大切だ。

鮎は容姿端麗（ようしたんれい）なさかなだ。それでも産地によって、多少の美醜がないでもない。

鮎は容姿が美しく、光り輝いているものほど、味においても上等である。それだけに、焼き方の手際のよしあしは、鮎食いにとって決定的な要素をもっている。

美味く食うには、勢い産地に行き、一流どころで食う以外に手はない。一番理想的なのは、釣ったものを、その場で焼いて食うことだろう。

洗いづくしで食うことも非常など馳走である

鮎は塩焼にして食うのが一般的になっているが、上等の鮎を洗いづくりにして食うことも非常なご馳走だ。

私がまだ子どもで、京都にいた頃のことであった。ある日、魚屋が鮎の頭と骨ばかりをたくさん持ってきた。鮎の身を取った残りのもの、つまり鮎のあらだ。小魚のあらなんていうのはおかしいが、なんといっても鮎であるから、それを焼いてだしにするとか、または焼き豆腐やなにかといっしょに煮て食うと美味いにはちがいない。

それにしても、こんなにたくさんあるとはいったいどういうわけだろうと、子ども心にふしぎに思って聞いてみた。すると、魚屋のいうのには、京都の三井さんの注文で、鮎の洗いをつくったこれはあらだという。

　私はずいぶんぜいたくなことをする人もいるものだなあと驚き、かつ感心した。それ以来、鮎を洗いにつくって食う法もあるということを覚えた。しかし、その後ずっと貧乏書生であった私には、そんなぜいたくは許されず、食う機会がなかった。それでも、今からもう二十五年も昔になるが、遂(つい)に私もこの洗いを思う存分賞味する機会を得た。加賀の山中(やまなか)温泉に逗留(とうりゅう)していた時のことである。

　山中温泉の町はずれに、蟋蟀(こおろぎ)橋という床(ゆか)しい名前の橋があり、その橋のたもとに増喜楼(ぞうきろう)という料理屋があった。

　鮎とか、ごりとか、いわなとか、そういった深い幽谷(ゆうこく)に産する魚類が常に生かしてあって、しかも、それが安かった。鄙(ひな)びた山の中の温泉には、ろくに食うものがないから、飯(めし)を食おうと思えば、どうしてもそこへ行くよりほかはなかった。

　そんなわけで、私はよく増喜楼へ人といっしょに食いに行った。そうした渓魚を食っているときに、ふと子どもの頃知った鮎の洗いのことを思い出した。鮎も安かったからではあるが、さっそく鮎の洗いをつくらして食ってみた。驚いた。とても美味いのだ。なるほど、三井が賞味したわけだと合点した。

美味いに任せて、その時はずいぶん洗いを食った。そうして人が訪ねて来るたびに、増喜楼へ案内して、洗いをつくらせてはご馳走した。ところが、習慣とは妙なもので、たいがいの人は、あっさり食わない。頭はどうしたとか、骨を捨てちゃったのかと心配する。当時、京都相場なら二円くらいもする鮎が、一尾三十銭ぐらいで始終食えたのだ。それが洗いにすると、一人前が一円以上につく。鮎をそんなふうにして食っては、なんとなくもったいないような、悪いような気がして、美味いとは知っても、勇気の出にくいものである。

しかし、所を得れば、洗いは今でもやる。この鮎の洗いからヒントを得て、私はその後、いわなを洗いにして食うことを思いついた。

いわなは五、六寸ぐらいの大きさのものを洗いにすると、鮎に劣らぬ美味さを持っている。

鮎はそのほか、岐阜の雑炊(ぞうすい)とか、加賀の葛(くず)の葉巻とか、竹の筒に入れて焼いて食うものもあるが、どれも本格の塩焼きのできない場合の方法であって、いわば原始的な食い方であり、いずれも優れた食い方ではあるが、必ずしも一番よい方法ではない。それをわざわざ東京で真似てよろこんでいるものもあるが、そういう人は、鮎をトリックで食う、いわゆる芝居食いに満足する輩(やから)ではなかろうか。

やはり、鮎は、ふつうの塩焼きにして、うっかり食うと火傷(やけど)するような熱い奴を、ガブッとやるのが香ばしくて最上である。

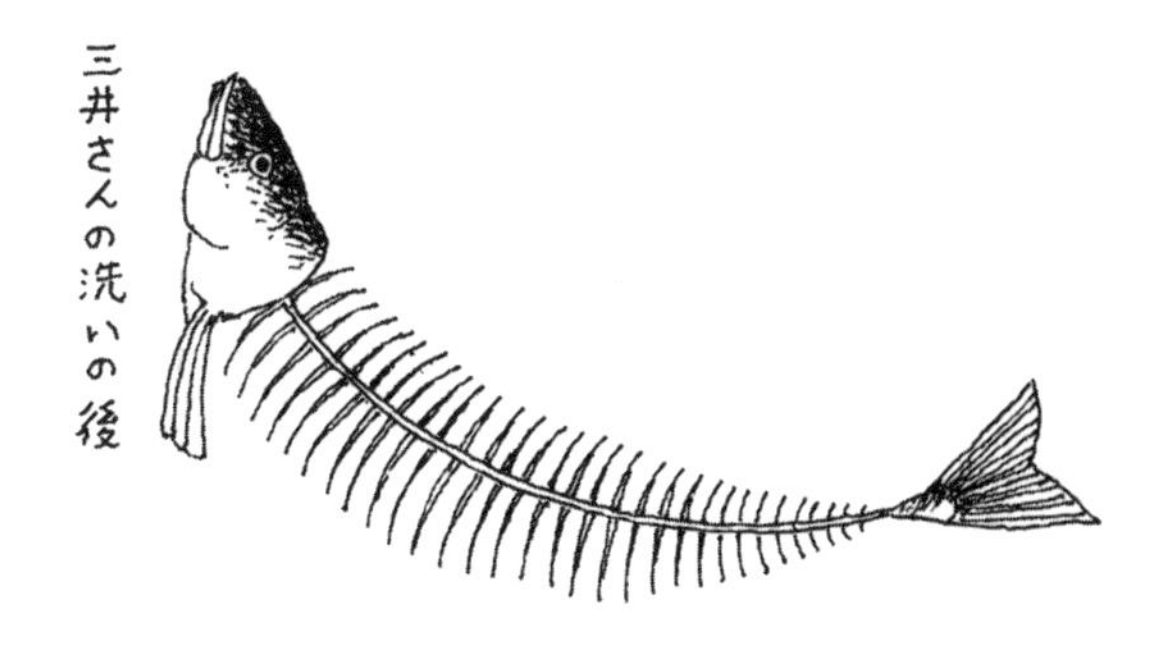
三井さんの洗いの後

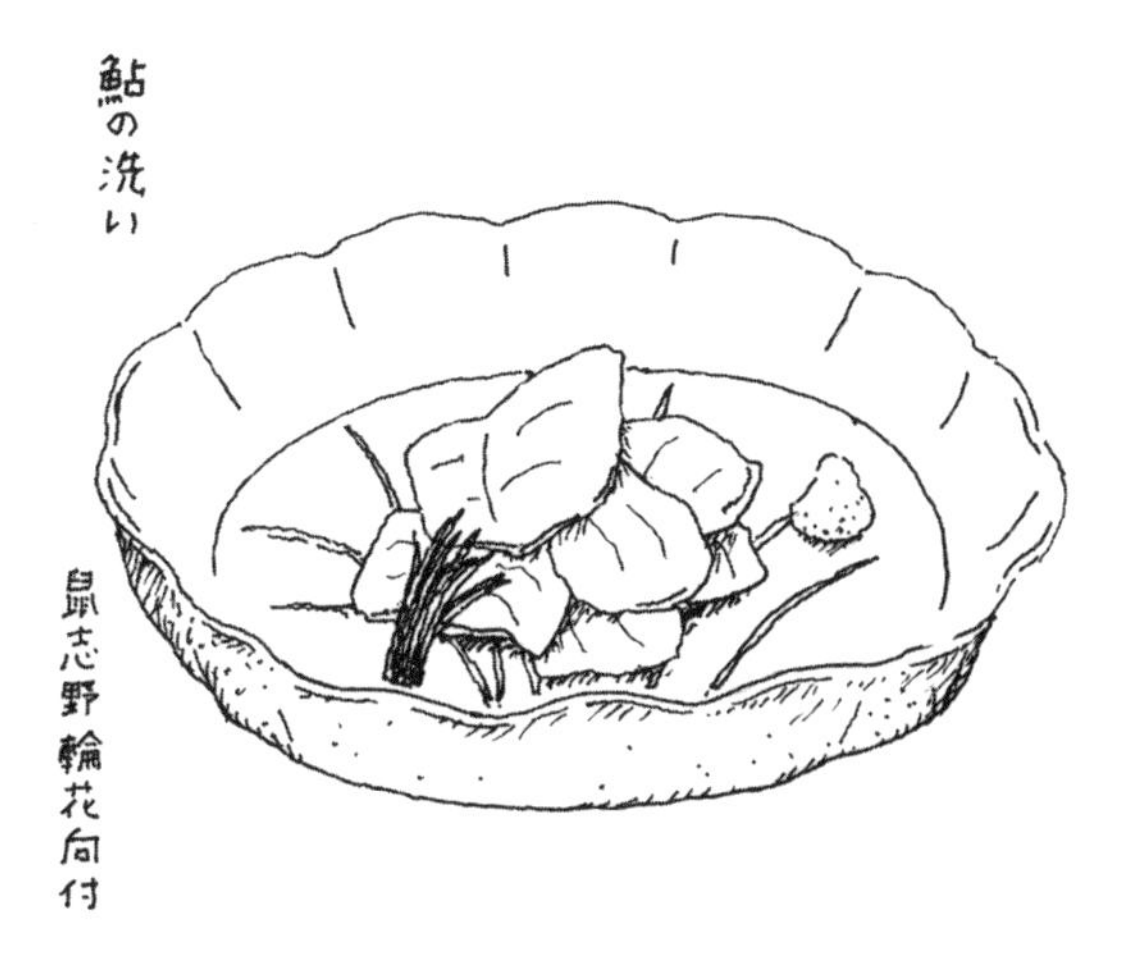
鮎の洗い
鼠志野輪花向付

鰻の話

天然ものは、好餌をたっぷり食っているものが美味い

私は京都に生まれ、京都で二十年育ったために、京、大阪に詳しい。その後、東京に暮して東京も知るところが多い。従って批判する場合、依怙贔屓がないといえよう。うなぎの焼き方についても、東京だ大阪だと片意地はいわないが、まず批判してみよう。

夏の季節は、どこも同じように、一般にうなぎに舌をならす。従ってうなぎ談義が随所に花を咲かせる。うなぎ屋もこの時とばかり「土用の丑の日にうなぎを食べれば健康になる」とか「夏やせが防げる」とかいって、宣伝にいとまがない。

一般的に、食欲の著しく減退しているこの時期に、うなぎがもてはやされるというのは、うなぎが特別扱いに価する美味食品であることに由来しているようだ。だが、ひと口にうなぎといっても、多くの種類があり、良否があるので、頭っからうなぎを「特別に美味いもの」と、決めてかかるのはどうだろうか。

ここで私のいわんとする美味いうなぎとは、いわゆる良質うなぎを指すのである。「美味い」ということは、良質のものにのみいえることであって、食べてみて不味いうなぎをよいうなぎとはいわないだろう。その上、不味いものは栄養価も少ないし、食べても跳び上がるような心のよろこびを得ることができない。また、同じ種類のものでも、大きさや鮮度のいかんによって、美味さが異なるから、うなぎという名前だけでは、美味いとか栄養価があるとかいう標準にはなるまい。

うなぎは匂いを嗅いだだけでも飯が食えると下人はいうくらいだから、

なるほど、特に美味いものにはちがいない。人々の間では、「どこそこのうなぎがよい」というようなお国びいきもあるし、土地土地の自慢話も聞かされるが、東京の魚河岸（うおがし）、京阪（けいはん）の魚市場に代表的なものがある。素人（しろうと）ではうなぎの良否の判別は困難だが、うなぎ屋は商売柄よく知っているので、適当な相場がつけてある。従ってよいうなぎ、美味いうなぎは、大方とびきり値段が高い。美味さの点をひと口にいえば、もちろん、養殖うなぎより天然うなぎの方が美味である。そのいわれは、季節、産地、河川によって生ずる。

「何月頃はどこそこの川のがよい」「何月頃はどこそこの海だ」というように、季節や場所によって、その美味さが説明される。このことはうなぎの住んでいる海底なり、餌（えさ）なりがかわるからなのであって、うなぎは絶えずカンをはたらかし、餌を追って移動しているようだ。

彼らの本能的な嗅覚は、常に好餌のある場所を嗅ぎ当てる。好餌を発見すると、得たりとばかりごっそり移動し、食欲を満足させる。彼らが最も好む餌を充分に食っている時が、我々がうなぎを食って一番美味いと感ずる時で、この点はうなぎにかぎらず、あらゆるものについても同様に解明できよう。

例えば、つばめだってそうだ。世間では相当のインテリでさえ、つばめの移動を「寒さからのがれるために暖地へおもむく」と子どもたちに教えているようだが、それは少々誤りである。事実は、彼らの露命（ろめい）をつなぐ食糧、すなわち昆虫がいなくなるからであって、つばめにしてみれば、食を得るための移動なのである。南へ行かねば彼らのくらしがたたない。自己保存のために餌を求めて移動することは、つばめのみならず、動物の本能といってよいだろう。うなぎの移動も自然の理法である。

ところで、あのひょろ長い、無心（？）の魚どもが、住みなれた河川の餌を食いつくしてしまうと、次へ引越しを開始する。海底の餌がある間はそこに留まっているが、食べつくしてしまうと、ふたたび他へ移行する。六郷川がよいとか、横浜本牧がよいとかいうのは、以上の理由によるもので、どこそこのうなぎというものも、移動先の好餌のあるところを指すわけだ。

養殖ものでも飼料と水が良ければ美味い

養殖うなぎのように餌をやって育てたものでも、土地や池によって非常な差異が生じている。つくられたものでさえ差異が生じるというのは、一に水のせいもあるし、海から入り込む潮の関係も考えられる。が、なんといっても問題なのは飼料である。飼料によって、うなぎの質に良否の差異が生じて来る。養殖うなぎでも適餌をやれば美味いうなぎになるだろう。だが、うなぎ養殖者は、とかく経済面のみ考えて、できるだけ安価な餌で太らせようとばかり考え、いきおい質が天然うなぎから遠ざかりすぎるのである。経済ということも一理ではあるが、かといって、いくら金をかけたところで、所詮、人間はうなぎの大好物がなんであるかを知ることは困難のようである。

餌のことをもっとはっきりさせるために、すっぽんを例にとろう。すっぽんの好物は、あさりやその他の小さな、やわらかな貝類である。一枚歯のすっぽんの大腸をみると分るが、彼らは貝を好んで食うために腸内部が貝類で埋っている。だが、すっぽん養殖者は、彼らにその嗜好物を供給してやるのには費用が高くつくので、代わりににしんを食わせる頃がある。すると、いつの間にかすっぽんにもにしんの匂い、味がして、貝だけを餌にしていた時のような美味さが失われて来る。このように餌ひとつで極端にまですっぽんの質に影響があることは見逃せない。

同じように養殖うなぎでもよい餌を食べている時は美味いし、天然のうなぎでも彼らの好む餌にありつけなかった時は、必ずしも美味くはないといえる。要は餌次第である。天然にこしたことはないが、養殖の場合でも、それに近いものが望まれる。

ところで、現在市販のものでは、天然うなぎはごくわずかしか使用され

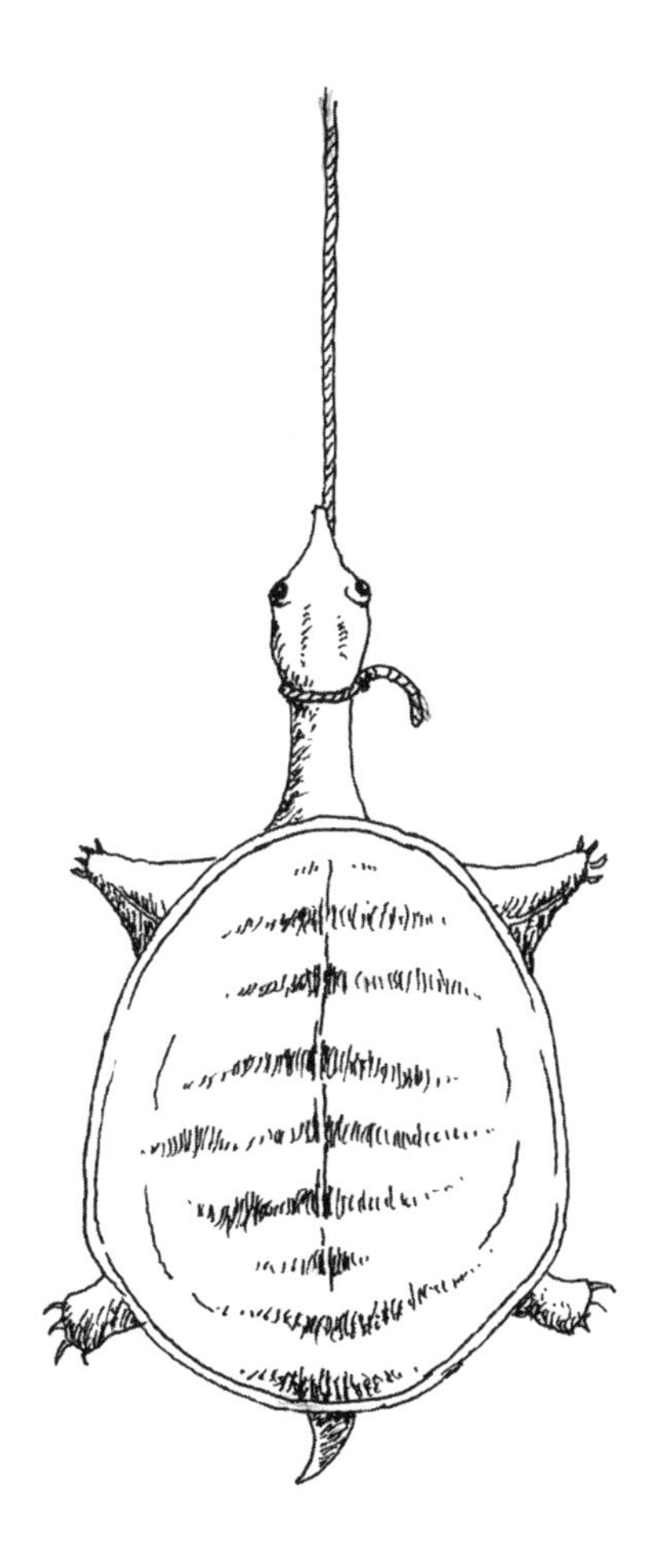

すっぽんを吊るす図

ておらず、ほとんど養殖うなぎばかりといってよい。天然うなぎがいないからではなく、それを獲るのに人件費がかかるからで、問題は商魂にある。養殖うなぎの値が天然のそれに比して高ければ、一般の人々は手を出さないであろうし、従って、おのずと天然うなぎが繁昌する結果となる。養殖の場合は先述したように、うなぎが太っていればよいのであるし、形ができていれば商売になる。味覚をなおざりにしているわけではなかろうが、どうしても二義的に考えられがちだ。

　現今では、うなぎといえば養殖うなぎが通り相場になっているほどである。東京では五、六軒だけ天然うなぎを使用しているが、京、大阪は皆無。中には両方を混ぜて食わせる店もある。

　一方、天然うなぎは餌が天然という特質があるために、概して美味いと考えてよい。もちろん良否はあるが。養殖うなぎにもとりわけ美味いものがあるが、よほどよいうなぎ屋に行かなければぶつからない。

ほんとうは冬のうなぎがいちばん味がよい

最後に、うなぎはいつ頃がほんとうに美味（うま）いかというと、およそ暑さとは対照的な一月寒中の頃のようである。だが、妙なもので寒中はよいうなぎ、美味いうなぎがあっても、盛夏のころのようにうなぎを食いたいという要求が起こらない。美味いと分っていても人間の生理が要求しない。しかし、盛夏のうだるような暑さの中では、冬ほどうなぎは美味ではないけれど、食いたいとの欲求がふつふつと湧（わ）き起こって来る。これは多分、暑さに圧迫された肉体が渇（かっ）したごとく要求するせいであって、夏一般にうなぎが寵愛（ちょうあい）されるゆえんも、ここにあるのであろう。もちろん、一面には土用の丑（うし）の日にうなぎと、永い間の習慣のせいもあろう。

牛肉の場合は、冬でも肉体の要求を感ずるが、うなぎ、小形のまぐろなどは夏の生理が要求を呼ぶもののようだ。皮鯨（鯨肉の皮に接した脂肪の部分）は夏季非常に美味いけれども、冬は一向に食う気がしない。要するにこれらは、人間の生理と深い関係があるといえよう。

私の体験からいえば、うなぎを食うなら、毎日食っては倦きるので、三日に一ぺんぐらい食うのがよいだろう。美味の点からいって、養殖法がもっとも進歩して、よいうなぎ、美味いうなぎで心楽しませて欲しいものである。

参考までに、うなぎ屋としての一流の店を挙げると、小満津や竹葉亭、大黒屋などがある。現代的なものに風流風雅を取り入れた、感じのよい店といえよう。中でも先代竹葉の主人は名画が非常に好きで、とりわけ琳派の蒐集があって、今日特にやかましくいわれている宗達、光琳のものなど数十点集めておったほどの趣味家で、この点だけでも大したものであった。今なお竹葉の店に風格があるのは、そのためである。

美を知るものは、たとえ商売が何屋であっても、どこかそれだけちがうものがある。

次にうなぎの焼き方であるが、地方の直焼き、東京の蒸し焼き、これは一も二もなく東京の蒸し焼きがよい。

河豚は毒魚か

ふぐをまえにしては、あらゆる魚の美味などなんの変哲もなし

ふぐの美味さというものは実に断然たるものだ——と、私はいい切る。これを他に比せんとしても、これに優る何物をも発見し得ないからだ。ふぐの美味さというものは、明石だいが美味いの、ビフテキが美味いのという問題とは、てんで問題がちがう。調子の高いなまこやこのわたをもってきても駄目だ。すっぽんはどうだといってみても問題がちがう。フランスの鵞鳥の肝だろうが、蝸牛だろうが、比較にならない。もとよりてんぷら、うなぎ、すしなど問題ではない。

無理かも知れぬが、試みに画家に例えるならば、栖鳳や大観の美味さで

はない。靫彦、古径でもない。芳崖、雅邦でもない。崋山、竹田、木米でもない。呉春あるいは応挙か。ノー。しからば大雅か蕪村か玉堂か。まだまだ。では光琳か宗達か。なかなか。では元信ではどうだ、又兵衛ではどうだ。まだまだ。光悦か三阿弥か、それとも雪舟か。もっともっと。因陀羅か梁楷か。大分近づいたが、さらにさらに進むべきだ。然らば白鳳か天平か推古か。それそれ、すなわち推古だ。推古仏。法隆寺の壁画。それでよい。

ふぐの味を絵画彫刻でいうならば、まさにその辺だ。

しかし、絵をにわかに解することは、ちょっと容易ではないが、ふぐのほうはたべものだけに、また、わずかな金で得られるだけに、三、四度もつづけて食うと、ようやく親しみを覚えてくる。そして後を引いてくる。ふぐを食わずにはいられなくなる。この点は酒、タバコに似ている。

ひとたびふぐを前にしては、明石だいの刺身も、おこぜのちりも変哲もないことになってしまい、食指が動かない。ここに至って、ふぐの味の断然たるものが自覚されてくる。しかも、ふぐの味は、山におけるわらびのようで、その美味さは表現し難い、というふぐにも、もちろん美味い不味いがいろいろあるが、私のいっているのは、いわゆる下関のふぐの上等品のことである。いやふぐそのものである。

　ふぐ汁や鯛もあるのに無分別

ふぐでなくても、無知な人間は無知のために、なにかで斃れる失態は、たくさんの例がある。無知と半可通に与えられた宿命だ。

それでなくても、誰だってなにかで死ぬんだ。好きな道を歩んで死ぬ、それでいいじゃないか。好きでなかった道で斃れ、逝くものは逝く。同じ死ぬにしても、ふぐを食って死ぬなんて恥ずかしい……てな賢明らしいことをいうものもあるが、そんなことはどうでもいい。

芭蕉という人、よほど常識的なところばかりを生命とする人らしい。彼

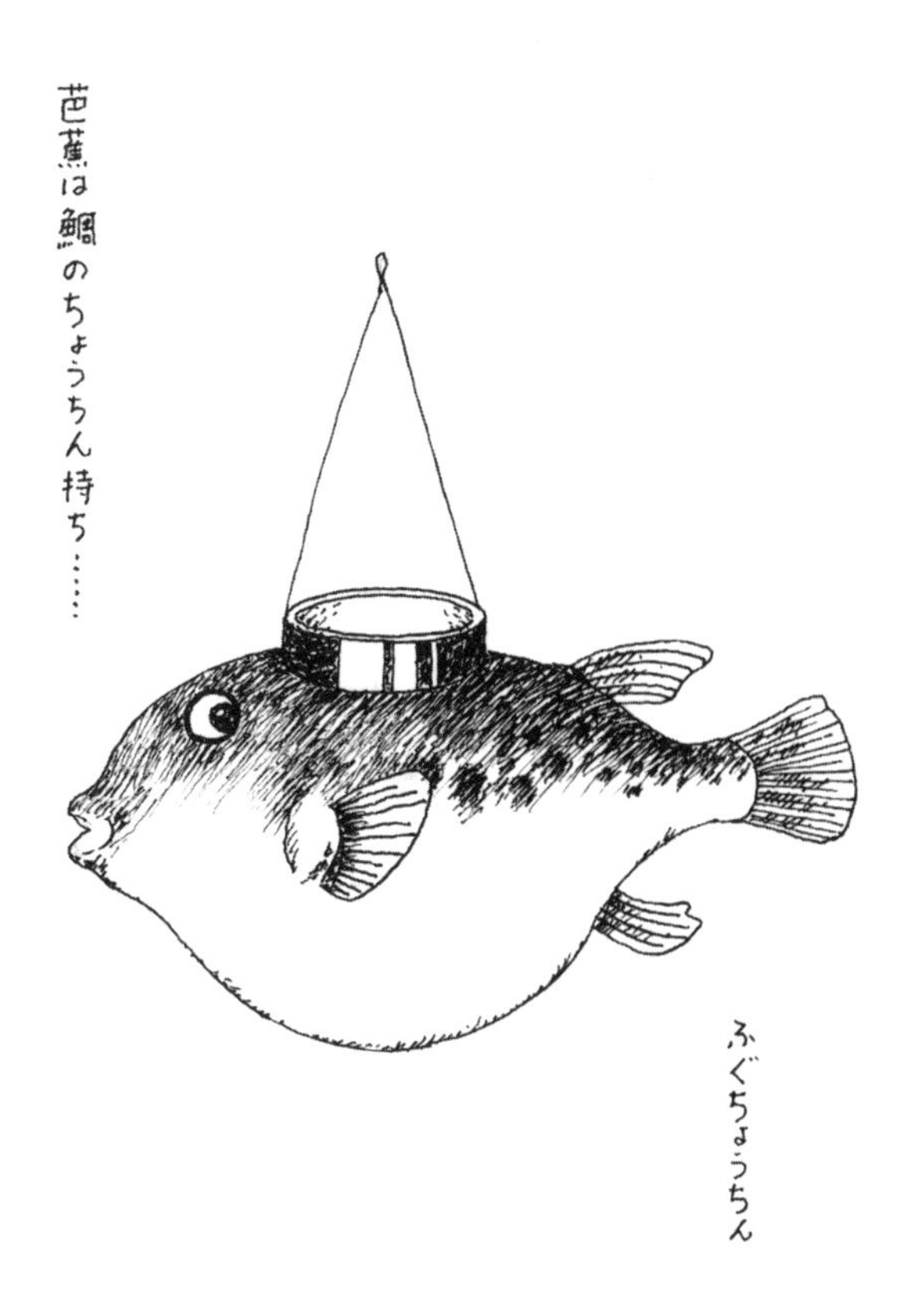
芭蕉は鯛のちょうちん持ち……
ふぐちょうちん

の書、彼の句がそれを説明している。「鯛もあるのに無分別」なんていうと、たいはふぐの代用品になれる資格があるかにも聞え、また、たいはふぐ以上に美味いものであるかにも聞える。所詮、たいはふぐの代用にはならない。句としては名句かも知れないが、ちょっとしたシャレに過ぎない。小生などから見ると、芭蕉はふぐを知らずにふぐを語っているようだ。

他の句は別として、この句はなんとしても不可解だ。たいである以上、いかなるたいであっても、ふぐに比さるべきものでないと私は断言する。ぜんぜんちがうのだ。ふぐの魅力、それは絶対的なもので、他の何物をもってしても及ぶところではない。ふぐの特質は、こんな一片のシャレで葬り去られるものではなかろう。ふぐの味の特質は、もっともっと吟味されるべきだと私は考える。

それだからといって、なんでもかでも、皆の者ども食えとはいわない。いやなものはいやでいい。ただ、ふぐを恐ろしがって口にせんような人は、それが大臣であっても、学者であっても、私の経験に徴（ちょう）すると、その多くが意気地（いくじ）なしで、インテリ風で、秀才型で、その実、気の利（き）いた人間でない場合が多い。そこが常識家の非常識であるともいえる。

死なんていうものは、もともと宿命的に決定されているものだ。いたずらに死に恐怖を感ずるのは、常識至らずして、未だ人生を悟らないからではないか。

肉を生身で食うのが一番美味(うま)い

さて、このふぐという奴、猛毒魚だというので、人を撃ち、人を恐れ戦(おのの)かしめているが、それがためにふぐの存在は、古来広く鳴り響き、人の好奇心も動かされている。しかし、人間の知能の前には毒魚も征服されてしまった。

人間はふぐの有毒部分を取り除き、天下の美味を誇る部分をのみ、危惧(きぐ)なく舌に運ぶことを発見したのだ。東京を一例に挙げてみても、今やふぐは味覚の王者として君臨し、群魚の美味など、ものの数でなからしめた。ためにふぐ料理専門の料理店は頓(とみ)に増加し、社用族によって占領されている形である。関西ならば、サラリーマンも常連も軒先(のきさき)で楽しみ得るが、東京はお手軽にいかない怨(うら)みがある。下関から運ばれるふぐは、東京における最高位の魚価をもっている。

この価格も一流料理屋では、もとより問題ではない。のれんを誇った料理の老舗（しにせ）も、「ふぐは扱いません」などとはいっておられず、我も我もとふぐ料理の看板を上げつつあるのが、きょうこのごろの料理屋風景である。しかし、私はこの実情を憂うるものではない。否（いな）、むしろ推奨したいひとりである。

従来は、無知なるが故（ゆえ）に恐れ、無知なるが故に恵まれず、無知なるが故に斃（たお）れ、不見識にもこの毒魚を征服する道を知らず、この海産、日本周辺に充満する天下の美味を顧（かえり）みなかったのである。今もって無知なる当局の取締方針など、このまま無責任に放置せず、あり余るこの魚族を有毒との理由から、むやみと放棄し来った過去の無定見を反省し、さらにさらに研究して、ふぐの存在を充分有意義ならしめたいと私は望んでいる。

ふぐは果して毒魚だろうか。中毒する恐れがあるかないか。ふぐを料理し、好んで食った私の経験からすると、ふぐには決して中毒しないといいたい。

今を去る十五、六年前かと思うが、確か「大阪毎日新聞」に次のような有益な記事が掲載されていた。それを切り抜いて、ご紹介する。九州帝大医学部福田得志(ふくだとくし)博士が中心になり、過去七年間、この問題を検討した結果である。

以下は同博士の話。

「私は過去七年間、河豚(ふぐ)毒の問題を再検討して、次の毒力表を得た。表中猛とあるのは、猛毒で十グラムまでは致死的ならず、弱は弱毒で百グラムまでは致死的でなく、無は千グラムまでは致死的でないことを意味する。この毒力は一つの種類の河豚数十尾を検した中の最強の毒力です」

これによっても、ふぐの肉はいかなる種類のふぐでも無毒とされている。

河豚毒力表

種類	卵巣	睾丸(しらこ)	肝臓	腸	皮	肉
コモンフグ	◎猛	○強	◎猛	○強	○強	弱
ヒガンフグ	◎猛	弱	◎猛	○強	○強	無
マフグ	◎猛	無	○強	○強	○強	無
メフグ	◎猛	無	○強	○強	○強	無
ショウサイフグ	◎猛	無	弱	弱	○強	無
アカメフグ	○強	無	弱	弱	○強	無
クサフグ	○強	無	弱	弱	○強	無
トラフグ	○強	無	○強	弱	無	無
シマフグ	弱	無	○強	弱	無	無
ゴマフグ	○強	無	○強	無	無	無
サバフグ	無	無	無	無	無	無

卵巣と肝臓、腸とを食わなければ無毒だといっている。私もその通りだと思う。要するに、猛毒といっても、肉にあるのではないから都合よくできていて、解明はすこぶる簡単だ。要は血液に遠ざかることである。わずかに滲み出る血液くらいでは致死量に至らないようだ。むしろ醍醐味となって、美味の働きをしているのかも知れない。いずれにしても、肉を生身で食うのが一番美味いのだから、素人は皮だの腸だのは食わなくてもよい。しかし、頭肉、口唇、雄魚の白子は美味いから、ちりにして味わうべきだ。下関で鮮度の高い奴を腸抜きにして、飛行便で送ってくるから、これなら万まちがいないはずだ。

ふぐをこわがったのは昔のことだ。それは一にふぐ料理の方法が研究されていなかったからである。現在では、ふぐ屋においてふぐを食って死ぬことはない。このようにふぐを安心して食える時代が来ても、ふぐを恐ろしがることは、全く無知の致すところだと思う。

にもかかわらず、今なお衛生当局の無知は、ふぐ料理を有毒と決め、各県各区勝手な取締りをおこなっている。よしんば取締りを行うにしても、よろしく研究の上、この天与の美味を生かすように配慮願いたいものである。

第四章

いい寿司屋わるい寿司屋の見分け方

握り寿司の名人

飯は塩、酢だけの味つけで小握りが上等品

東京における戦後の寿司屋の繁昌は大したもので、今ではひと頃の十倍もあるだろう。肴と飯が安直にいっしょに食べられるところが時代の人気に投じたものだろう。しかし、さて食える寿司となるとなかなか少ない。これは寿司屋に調理の理解がないのと、安くして評判をとるために粗末になるからだろう。

現に新橋付近だけでも何百軒とあるであろう。この中で挙げるとなると、昔、名を成した新富その弟子の新富支店、久兵衛、下って寿司仙くらいなものだろう。安田靫彦【編者注＊大正から昭和初期に活躍した日本画家】さんが看板を

書いてるのもあるが、これは主人が作家でないらしくすべての上で私の気に入らない。

いったい寿司のウマイマズイはなんとしても魚介原料の問題で、第一に素晴らしいまぐろが加わらなければ寿司を構成しない。その他、本場ものの穴子の煮方が上手いとか、赤貝なら検見川の中形赤貝を使うとかで、よしあしはわけもなくわかるが、とにかくまず材料がよくなくては上等寿司には仕上がらない。海苔もよくなければいけないのは勿論である。海苔も部厚なものが巻きに適するが、厚いものにはよい物がないが部厚でありながらよい物を備える必要がある。「米」これは福島辺が一等で、新潟のも使える。しかしその炊き方——程度がむずかしい。酢は米酢と称するものが一番で、関西寿司の用うる白酢ではだめだ、飯に三分づきくらいの色がつく酢が旨い。それから飯の味付けは、上方式に米の中に昆布、砂糖などでいろいろ加味しては江戸前にはならない、塩、酢、だけの味付けが本格である。また飯の握りの大きいのは安物である。大きく握るものにろくなすしはない。小握りが上等品となっている。一等品は贅沢屋の食べるものだから。

寿司に生姜をつけて食うのは必須条件であるが、なかなかむずかしい。生姜の味付けに甘酢に浸す家もあるが、江戸前としての苦労が足りない。さてこんなことをつぶさに心得てる寿司屋はなかなかあるものではない。ただし先に挙げてみた三、四軒の中にはある。しかし、これにもまたいろいろ長短があり一概にはいえぬが、実はこれを見破ぶるほどの食通もいないので、商売繁昌、客にも判る人はきわめて少ない。

寿司通と自称他称する連中もたいていはいい加減な半可通で、それならこそまた寿司屋も息をつけるというものである。

寿司は結局寿司屋が作ってるか、客が作ってるかということになる。見ているといい客はいい寿司屋に行き、わるい客はわるい店に行く。寿司屋と客とは五分五分の勝負で、各店それぞれそれらしいのが来ている。

近年は寿司屋も進歩して、久兵衛のごとき、人のうわさでは、鮎川義介(あゆかわよしすけ)翁(おう)【編者注＊戦前、日産自動車、日立製作所など巨大コンツェルンを立ち上げた大実業家】が後援して近代感覚の素晴らしい店構えを作っている。それがために、従来にない客種(きゃくだね)をそろえて寿司王を思わせている。また再興した新富寿司本店も今までに見られないものを持って臨んでいる。これもまた、寿司王国を示している。こんなふうに寿司屋は体裁(ていさい)ではグングンと万事に改良し進歩を示している。しかし、これが一般向きの店となってはなかなかそうもいかぬ様である。第一に客種に問題があるのだろう。

以下一々について各店主人の持つ寿司観の長短を俎上(そじょう)に載(の)せて見よう。

終戦後、闇米屋という女性行商人が大活躍し、取り締まりなどなに恐れるところなく日々東京に入りこんで、チャッカリ商売したものであった。売り込み先は割烹(かっぽう)旅館、特に寿司屋を当てにして新潟・福島・秋田などからたくましくも行商に来ていた。東京では首を長くして待ちこがれているという様子が、彼ら闇屋の目には鋭く映るのだろう。寿司屋を始めようが、料理屋をやろうが、カツギヤにさえ頼めば米に不自由する都会ではなかった。

このころの東京は、見渡すところ寿司屋ばかりの食べ物横丁かと思わせるほどの軒並（のきなみ）であった。雨後（うご）の筍（たけのこ）どころのさわぎではない。しかし、われわれがいう寿司らしい寿司を作る店は、そうたやすく見当たるものではなかった。われわれとて、軒並食って歩いたわけではないが、通りがかりに横目で見て、上・中・下どんな寿司を売る店か分るのである。もちろん、こうなるまでには、大分寿司代を払っている。心ある者は贅沢屋の評判ある有名店に飛び込んで経験するほかに近道はなかろう。かといって、二十歳や三十歳くらいの青年期では、酢加減がどうの、まぐろの本場物、場違い物などとみてとれるはずがない。善（よ）かれ悪（あ）しかれ、なんでもかでもうまく食える。大方の青年層はふんだんに食えれば、それで大満足というわけだから、寿司屋の甲乙丙はまず分るまい。寿司談義は小遣銭が快調にまわるようになり、年も四十の坂を越え、ようやく口が贅って来てからのことになる。

　飯を少なく握れの、わさびを利かせの、トロと中トロの中間がよいのというようになって来るのはこの頃からで、その連中は昔だと、茶の熱いうまいやつをよろこんで寿司を味わったものだ。だが、今日このごろの者は、いきなりビールだ酒だと寿司を酒の肴に楽しんでいる。寿司食いのアプレである。戦後、寿司が立ち食いから椅子にかけて食うようになったせいである。この傾向もなかなか勢力があって、上等の寿司屋はおのずから腹の張らない小形寿司を作って、飲ませるように技を進め、遂に一人前の料理屋になったからだ。今一つの新傾向は、女の立ち食い、腰掛食いが驚くほど増えて来て、男と同じように「わたしはトロがいい」「いや赤貝だ」「うにだ」と生意気をやって、噴飯させられることしばしばという次第だ。寿司においては、いちはやく男女同権の世界に歩を進めたようだ。

島田髷の時代には売物にならなかった御面相が、口紅、爪紅、ハイヒールで堂々と寿司通仲間に侵入し、羽振りを利かす時代になってしまった。昔ならほとんど見られなかった風景である。この調子では今にトマトの寿司、コンビーフの寿司、サンドイッチの寿司、トンカツの寿司など、創意創作がむやみやたらと現われ、江戸前を誇った勇み肌の寿司屋など跡を絶たねばならなくなるだろう。サンドイッチの寿司だって本当に現われないとはかぎるまい。飯とパンと同時に賞味できるからだ。

戦後十年くらいまでは、京橋、日本橋あたりの目抜きの場所といえば、相当やかましい寿司屋もあり、やかましい食い手もあった。その当時、新橋駅付近に、千成と名乗る嵯峨野の料理職人が、度胸よく寿司屋稼業を始め、大衆を相手にして、いつの間にか職人十数人を威勢よく顎で使って、三流寿司を握り出した。千成はデパートに真似て寿司食堂を造り、数多くのテーブルを用意し、一人前何ほどと定価のつく皿盛（さらもり）寿司を売り出した。この手は安直本位なので、世間にパッと拡がってしまった。そして遂には、東京中に寿司食堂が氾濫（はんらん）してしまった。江戸前寿司の誇りを失ったのはこの時からである。

さて、寿司らしい寿司にはどんな特色があるだろう。寿司らしい寿司というからには、もちろん一流の寿司であって、気の毒ながら大衆の口にはいる寿司ではない。今でも一皿、握りが七ッ八ッ盛られて、五十円とか八十円【編者注＊これは昭和二十七年当時の値段】とかの立（たて）看板もあるが、これから話そうとする寿司は、そんないかさまものを指していうのではない。ただの一個が五十円以上百円の握りを指すのである。しかし、いかさまものの多いなかに、良心的な本物もなにほどかあって、わたしなどは盛夏の食べ物に困りきっている時など、大いにそれで助けられ、大船（おおふな）から暑さを意とせず、毎日のように新橋へと足をのばしたものである。

一流のまぐろというものは、最高の神戸肉や最上のうなぎを何倍か上回るほど値段の高いものであるが、食べてみれば、それだけの価値をもっていることは、ひと等しく認めるところの事実なのだから、どうにも仕方がない。わたしなど、健康への投資と考えて、夏中一流のまぐろで暮らすことになる。ところで、その一流のまぐろを常に備えて、味覚の確かな客を待ちかまえている寿司屋というのははなはだ少ない。上物(じょうもの)寿司屋を発見することは、お客にとってまた苦労のタネである。

寿司の上等もやはり材料が問題である。

1　最上の米（新潟・福島・秋田辺の小粒）

2　最上の酢（愛知赤酢(あかず)・米酢）

3　最上の魚介類、だいたいにおいていちばん高価な相場のもの。

4　最上の海苔（薄手の草をもって厚く作ったもの）

5　最上のしょうが（古しょうがの良品、新しょうがは不可）

以上の材料さえ整えば、まずうまい寿司はできるのである。にもかかわらず、最高の一手を打ち得ないのが一般の寿司屋である。

どんな上方寿司も江戸前寿司にはかなわない

東京で見る寿司屋の看板のすべては（京阪地方においても同じ）握り寿司屋である限り、みながみな「江戸前」なる三字を特筆大書している。江戸前の寿司というものは、よほど注目に価し、魅力に富むものらしい。握りが自慢になるのは、上方寿司の風情のみに堕し、生気を欠くところに比較してのことである。あえて「江戸前」と書くゆえんは、上方寿司と江戸握りとの相違をはっきりさせ、江戸前がだんぜんうまい点を認め、その寿司を食べさせるんだというところにある。とにかく江戸前寿司は日本中に有名になったわけである。

江戸前寿司の上方寿司と異なるところは、材料、味つけおよび技法の相違にある。これはいうまでもないが、まず第一は生気のあるなしである。

江戸前寿司は簡単で、ざっくばらんな調理法を用い、お客の目の前で生きのいいところをみせ、感心させながら食べさせるところに特色がある。それに、まぐろの脂肪がすこぶる濃厚でありながら、少しも後口に残らぬという特徴があって、まさに東京名物として錦上花を添えている。このごろ京阪流箱寿司は、上方の何処の地方にもはやってはいるが、なれ寿司を基調とする調理に意気のない野暮ったさが、即興に生きる江戸ッ子には、とんと迎えられる様子もない。わたしは当然のことと、あえて訝しく思わない。蓋し江戸人と上方人との相違がある。

しかし、今日どこにでもある東京の握りを真似したいかがわしいものは、江戸前が残念がる。みだりに「江戸前寿司」と看板に標榜する無責任さは叱責せねばなるまい。

なにはともあれ、大阪の箱寿司が握りに圧倒されたのは、寿司食いの勝で、寿司屋の負けである。こんなあり様をくやしがり、片意地を張って京大阪名代の寿司屋連が、握りなにものぞ、とばかりやり始めたのが、今日大阪にみる大看板の握り寿司であるが、まるっきり問題になるものではない。猿真似というヤツで滑稽である。いわんや他の地方のものは、食えたものではない。なくてはならぬしびまぐろをはじめ、なに一つ材料になる適当な魚がない。その点が最大の原因となっている。だが、彼らにはそれが一向にわかっていない。

　わたしは京都に生まれた関係で、京阪のうまいものはおのずから知ってはいるが、江戸前寿司の気力あるうまさには、さすがのお国びいきもかぶとを脱がざるを得ない。とはいっても、江戸前寿司を専業としている今日の東京の寿司屋、必ずしもうまいというのではない。何事によらず一概の論はよろしくない。

　うなぎにしても寿司同様、東京名物中の名物であるが、今日このごろでは、むかし通りの日本一であるとは言い難い。とは申せ「東京のうなぎは蒸して焼くから、だしがらのようなもので決してうまいとはいえない」と、よく関西のうなぎ屋が貶しているが、聞くに耐えぬ我田引水だ。これは味覚の本領を衝いた上での話ではなく、無責任にきいたふうなことをいっているだけのことで、論にならない。進歩を知らないうなぎ屋として、お気の毒なことだとしか思えない。うなぎ屋だからといって、決してうなぎがわかるものではない例といえよう。

東京のうなぎにかかっては、大阪の原始焼きは無条件降伏せねばなるまい。それにもかかわらず、直焼きを誇るがごとき、笑うに耐えたる陋習というべく、一刻も早く改めねばなるまい。のみならず、養殖のうなぎをもって、うなぎの論をぶつのは愚かと申すべきだろう。

寿司にしても、うなぎにしても、その材料の良否いかんのみにたよることが必要であろう。よい材料を使う寿司は、高いのは当然だ。高価を呼ぶものにはそれぞれ理由がある。その理由をわきまえず、単に金高のみに拘泥して驚くのは野暮である。高い寿司には高いだけの理由があって、むやみに金ばかり取るのは、どこにもないようだ。寿司の相場も実のところ味覚に通じた客人が決めているともいえる。

店つきの風格、諸道具、材料および原料、衛生設備、その他職人、女中にしても一流好みを狙い、すべてが金のかかった業態をして、さあいかがと待ちかまえているかいないかがうまい寿司、まずい寿司、安い寿司、高い寿司のわかれ目である。

久兵衛か　はたまた新富か

ところで、かような高級道楽食いの店を、新橋界隈に求めていったい何軒あるだろうか。もちろん立ち食いそのままの体でよくできている店というならば、何軒でもあるにはあるが、実際には〝羊頭を掲げて狗肉を売る〟たぐいが大部分である。殊に近ごろ流行の、硝子囲いに材料を山と盛り、お客さんいらっしゃいと待ちかまえているような大多数の店は、Ａ級寿司屋とはいい難い。

さしずめ新橋あたりを例に、私の趣味に合格する店は二、三軒であろう。その一軒に近ごろ立ち上がった「新富本店」および終戦後ただちに店開きした「新富支店」がある。この本店はその昔、意気軒昂で名を成した名人寿司として有名なものであったが、キリンも老いてはの例にもれず、ついに充分の生気は消え去ってしまった。

それからみると、支店の主人みっちゃんは年齢四十の働き盛り、相当の腕を持っているところから、ようやく認められつつある。本店の方は前述のごとく昔日の俤はないが、支店特異の腕前は現在新橋辺の寿司屋としては、まず第一に指を屈すべきで、本店の衣鉢は継がれたわけである。しかし、支店みっちゃんの方はうまいにはうまいが、旧式立食形なる軒先の小店で狭小であり、粗末であり紳士向きではない。ただ口福の欣びを感ずるのみである。

しかし、本店のおやじがジャズ調であるのに反し、支店は地唄調というところで、いとも静かな一見養子風の歯がゆいまでにおとなしい男。毎朝魚河岸に出かけ、帰るやただちに仕込みにかかる。飯が炊けて客を迎えるまでには相当時間を要し、正午に間に合うことはきわめて稀で、二時ごろ表をあけるのが日常となっている。一人の小僧も小女もいない一人きりの仕事だからである。妻女はあっても子供の世話かなにかで二、三時ごろでなくては出勤しない。茶を入れるくらいの手伝いで、おやじを助けるところが関の山である。

しかし、一利一害あって、それなるが故にまったく一人芸の表われがあり、個性的な点からいえば申し分ないが、手が回らぬという恨みが伴い、その結果、大切な飯の出来がいつも不完全で、わたしは何度注意したか分からないが、今もってその弊は続いている。命取りだ。

次が西銀座にすばらしい店舗を持つ「久兵衛」である。この店の主人は珍しく人物ができていて、寿司屋にしておくのには惜しいくらいの男である。幼少から寿司屋として育って来たため、それなりの寿司屋になっているが、もし大学でも出ていれば現在は少なくとも局長、次官はおろか大臣級になっていたかも知れない。ともかく、苦労を積んだ、頭のよいできた人物といえよう。その気骨稜々意気軒昂たる気構えは、今様一心太助といってよい。こちらがヘナチョコでは、おくれをとって寿司はまずいかも知れない。そんな男であるから、気むずかし屋で鳴っている鮎川義介翁に早くから認められ、戦時中ことに戦後は鮎川翁のひいき大なるものがあったようである。

寿司屋としての店頭は、古臭い寿司屋形式を排し、一躍近代感覚に富むところの新建築をもって唖然たらしめるものがあり、高級寿司屋を説明して余りあるものがある。しかし表構えはただ「久兵衛」と書いてあるのみ、寿司屋ともなんとも表現していない。なに知らぬ者にはちょっと飛び込みにくい様相を呈し、遅疑逡巡、終には素通りする者も少なくなかろう。それがため、店内に居並ぶ客種は普通の寿司屋にみるように、A級、B級、C級と混合していないのが特色である。

A級にあらずんばB級といった具合で、夜となく昼となく、すさまじい勢いで繁盛この上もない。おそらく東京にある寿司屋をしらみつぶしに調べても、昼夜これほど一流人が店内に充満している店は「久兵衛」をおいてほかにはないであろう。これは寿司そのもののうまいこともさることながら、久兵衛の人間的魅力にひかれて来るんだとみて間違いない。頭がよく厭味のない久兵衛のひとそのものに惚れて通って来る者ばかりといって過言ではない。

しかし、設備は充分、主人はおもしろいが寿司そのものの作品価値をどの程度持ってゆくかを検討すると――これをわたしはいろいろの点で究明しようとするのだが――まずどこへ出しても、決しておくれをとるものでないということは確かである。しかし、残念ながら新富支店に劣る点なしとはいい難い。

材料――主として魚介の目利きの点においては、ある程度みっちゃんが優れているように思う。といっても、双方それぞれに特徴があって、米を炊かしてはだんぜん久兵衛が優れている。海苔を買わせても彼が優っている。新富みっちゃんは魚をみることにわたしは感心している。なかなかの目利きであるが、どうも海苔の選定と飯の炊き方は久兵衛に劣るとわたしはみている。その理由は、みっちゃんという人物が元来大阪、京都で育っている人間であるため、海苔選定にはどうも目の利かないところがあって、玉に瑕というところである。用いるところの酢はというと、双方ともまず似たりよったりで大差はないが、酢加減となると、赤酢ばかり用いるみっちゃんに旗を挙げていい。

　そこで両者の甲乙を論ずるに当たり、なくては叶わぬまぐろの場合を注目してみよう。これはみっちゃんの独壇場である。ただ、飯の握り方には遺憾な点がみっちゃんにあって、第一大きすぎる恨みがある。久兵衛のは贅沢寿司として文句なし。握り具合はほどよい特色を有し、酒の肴になる寿司である。もし久兵衛がまぐろの選択をさらにさらに厳にし、切り方を大様に現在の倍くらいに切ったとしたら、それこそ天下無敵であろう。

彼には彼の寿司観があって、結局まぐろはそう大きく切るものではない、という先入観を信念として、魚の切り方には、彼の気骨（きこつ）にも似ず貧弱な切り具合が見られる。

　おそらくそれは、彼が幼少育ったみすじという寿司屋の影響によるところが大であると考えられる。このみすじという寿司屋は、かつて宮内省等への出前、何百人という出前を扱った寿司屋であるというから、名人芸を云々（うんぬん）するよりも、むしろ事業的に成功した寿司屋であったように思われる。そこで育ったのが久兵衛で、彼に名人芸があるとすれば、これは生得（しょうとく）で主人から教えてもらったものではあるまい。それで魚肉を薄く切る陋習（ろうしゅう）が今に残っているものと思う。

　およそ先入観とは恐ろしいもので、誰であっても、一度身についた先入観は容易に改められないものである。ある時寿司台の前に座す客が、彼に「もう少し厚く切ってくれ」と希望をいった。彼は「寿司ですからね」といい切った光景を私は隣席で見たが、遂に彼は改めなかった。まぐろというものはむやみに厚切りするものではないという彼の信念が表われていておもしろい。

そこへゆくと新富支店は、本店の主人に従っていたためかいささか、この方にイナセな名人肌というものを受け継いでいる。まぐろの切り方が第一それである。

戦後のこと、魚河岸（うおがし）にまぐろが二本か三本しか来なかったといって、普通の店舗に入らなかった場合にも、この店には堂々たるまぐろが備えてあった。他の寿司屋ではそうはいかない。久兵衛もまぐろとなると平均してみっちゃんには及ばない。この一心太助にて、これはいかなるわけかといささか懐疑の念を抱かざるを得ない。

飯は寿司屋の命である

しかし、寿司はよき飯あっての寿司だといえる。飯の水加減が悪かったりすれば、結果は寿司になるべき第一義が失われる。うなぎ屋の飯、寿司屋の飯は生命である。この飯をおろそかにしたのでは寿司にはならない。よき飯を炊き、よき寿司を作らんとすれば、一人仕事ではだめである。毎朝魚河岸からもってくる魚、あなご、貝等にはいろいろ手のかかる仕事が多い。こはだのごとき、いずれも寿司のたねになるには、小さな魚に大そうな手数がかかる。これを一人で処理するのは所詮無理である。このように寿司屋の下仕事は沢山ある。支店みっちゃんのように下仕事する者皆無で、それを処理せねばならぬところに無理がある。そのために、飯がうまく炊けないという結果が生じてくるのだ。誠に歯がゆいような話である。

助手一人使わない。小女一人使わない。女房の手伝いすら大して受けない。これでは仕事の伸びようはずがない。これだけの技倆を持ちながら、このままで小さく終わってしまうのは惜しいように思われる。もっと多くの人を欣ばせ、もっと多くの人を楽しませたらどんなにいいだろうと思うが、人間の器量は別で、これ以上伸びなければ仕方がない。

そこへゆくと久兵衛はまったく違い、性闊達であり、その明快な性格にひとはおのずから惚れ込んで、彼の店にお百度を踏みつつあるのが現状だ。寿司屋久兵衛の魅力は大したものである。寿司の魅力すなわち人間の魅力である。

しかし、ここでわれわれが考えさせられることは、新富支店みっちゃんの場合、遠慮のかたまりのごとく細々としながら、どぎった寿司を作るということ、ここがおもしろいところである。久兵衛のごとき堂々たる人間が必ずしもどぎった寿司を作らないという点を、われわれは訝しく考えるのである。か細く見える人間が、ふてぶてしい作品をなし、たくましい久兵衛のごときが細々としたみっちゃんに及ばないという一点があることは、ひっきょう彼ら両人を作った教育環境が大きく影響しているものと考えてよいであろう。

しかし、かくのごとき酒の飲める寿司ができたのは戦後である。戦前は茶で寿司を食っていた。なにがそうさせたかといえば、それは寿司屋が椅子に変わったせいである。

椅子がなければ昔のように立ち食いをしていたであろうが、現在では立ち食いの店構えを持ちながら椅子を置いている。椅子があれば酒が欲しくなる。これは終戦直後料理屋が不自由であり、いきおい料理が高額であったから、寿司で酒を飲むこと、ついでに飯を食うことを酒飲みが発見したのである。

これならいろいろの魚が食えて、飯も食えるから料理として満点である。

高級料理屋では、自分の好きなものばかり食うわけにはいかないが、寿司屋では、まぐろ、あかがいを食うというように、いろいろなものが食える。この点、食べ物の自由がある。従ってこれほど重宝（ちょうほう）なものはない。しかし、これは、寿司屋と呼ぶより、自由料理屋と呼んだ方がふさわしいように思う。従来とはまったく様式の異なった新日本料理が生まれたのだ。

第五章

和食の極意

日本料理の基礎観念

料理とは
理（ことわり）を料（はか）ること

私どもが旅行をしますと、汽車の弁当を食ったり、旅館の料理を食ったりしなければなりませんが、それらはいかにも不味（まず）くてまったく閉口します。

そういう日本料理というものはまるでなっていません。まだ西洋料理ならいくらか食べられます。また、中国料理もそうです。してみると、西洋料理とか中国料理とかいうものは、拵（こしら）え方がやさしいのだ、単純なのだ。ひと通り覚えれば、誰にでも簡単にやれるのでありましょう。

ところが、日本料理というと、そうはいかないのでありまして、私どもが料理人を使っていて、朝から晩までガミガミいっていましても、なかなかうまく出来ない。しかし、日本料理がうまく出来ると、われわれ日本人には誰の嗜好にも合って、その料理がわれわれの味覚にぴったり適するのです。しかし、このぴったりがなかなかいかないのです。

私ども内輪でいくらやかましくいっていても、料理人たちは上の空でだめですから、こういう機会に、本気で聞かせようと思っているのであります。それで、みなさんに聞いていただきながら、いっしょに料理人にも聞かせるので、こういう機会に、みなさんを利用するようなわけでもあります。

私どもはよくこういうことを聞かれます。何歳の子どもには、どんな食べ物がよくて、どうした料理がいいでしょうかと。そのようなことは、ごく平凡な料理の話で、私どもは申し上げません。私の申しますのは、このだいこんとだいこんはどうだとか、この水と水とは、このなにとなにとは、どちらが良いか悪いかという機微に触れること。のりにしましても、どういうのりがもっともよいかという比較詮議をする。

そういうお話をいたしますので、例えば、一流の料理屋の刺身の醤油にしても、一々違いますが、それが区分けが出来るように、こんなことはどうも僭越ですが、いわゆる食道楽の立場から、ぜいたくといえば、ぜいたくといえる最高の嗜好的、食べ物のお話をいたそうと思います。そのおつもりでお聞きを願います。

料理とは食というものの理を料るという文字を書きますが、そこに深い意味があるように思います。ですから、合理的でなくてはなりません。ものの道理に合わないことではいけません。ものを合理的に処理することであります。

割烹というのは、切るとか煮るとかいうのみのことで、食物の理を料るとはいいにくい。料理というのは、どこまでも理を料ることで、不自然な無理をしてはいけないのであります。

真に美味しい料理はどうも付焼刃では出来ません。隣の奥さんがやられるからちょっとやってみようか、ではだめであります。心から好きで、味の分る舌を持たなくては、よい料理は出来ないのであります。

料理は相手を診断せよ

自分の料理を他人に無理強いしてはなりません。相手をよく考慮して、あたかも医者が患者を診断して投薬するごとく、料理も相手に適するものでなくてはなりません。そこに苦心が要るのです。医者が患者の容態が判るように、料理をする者は、相手の嗜好を見分け、老若男女いずれにも、その要求が叶うようでなくてはなりません。相手の腹が空いているかどうか、この前にはどんなものを食べているとか、量とか質とか、平常の生活とか、現在の身体の加減とかを考慮に入れなければなりません。それは充分、料理の体験がなくてはならぬことであろうと思います。

甘い、辛いということも、甘ければ甘いで美味く、辛ければ辛いで美味いというふうに、どんな味であっても嗜好に叶うという、すなわち、ものの道理に背かない味でなくてはなりません。それですから、ただ眼で見ることばかりではだめでありますし、また、料理は舌の上が美味いのみでも足りません。まず目先が変わるとか、色彩の用意が異なるとかいうことで、つまり、感覚の全体に訴えて満足するとか、美味くなるという総大観になるのであります。名医となることも、名料理人になることも、容易ではありません。

原料第一
——選定

さて、原料は鳥にしても、あまり成熟しない中くらいのものがよろしいのでありまして、真に賞味出来るのは、そういうものであります。たいについて申しましても、四、五百匁（もんめ）【編者注＊一・五～一・九kg】のところがちょうど美味本位に当たるので、一貫目【編者注＊三・七五kg】から一貫目以上になると、非常に味が大味になります。しかし、味はたとえ落ちても、大きいたいの頭（かしら）を兜（かぶと）蒸しなどに使うのは立派でいいでしょうが、実際からいいますと、やはり、美味（うま）くありません。大きいのは形と色彩がよくて感じは立派だが、味は論になりません。それならば小振りのものが味がよいといって、小さいものばかりに決めるかといえば、たびたびのことになると、そうばかりにいかない。ただなにごとも単純ではいかないのであります。こういうことについては、なにもかも一応知って苦労をしておき、そして、機宜の処置がとれなくてはいけません。

　もともと美味いものは、どうしても材料によるので、材料が悪ければ、どんな腕のある料理人だって、どうすることも出来ません。里芋でいっても、ゴリゴリした芋だったら、どんな煮方をしたって、料理人の手に負い切れないのです。さかなにしても脂っ気のないものは、それこそ煮ても焼いても、バターを付けようと雲丹を塗ろうと、どんなにしたってものになりません。材料を精選するということの大切なゆえんであります。この材料を見分けることは、なかなか容易なことではなく、むずかしいことですが、注意の修練、勘によってできますものであります。悪材を持った場合、まあなんとかなるというような、ぼんやりした考えではよい料理はできません。

原料の原味を殺すな

原料の原味を殺さないのが料理のコツのひとつであります。きゅうりならきゅうり、そらまめならそらまめに、それぞれの持ち味があるのですから、その持って生まれた味を殺さないように工夫しなければなりません。小芋（こいも）の味ひとつにしたって、人の力ではどうにもできないのでありますから、持ち味を生かすということは、とりもなおさず、生きたよい材料を扱うということになるのであります。

例えば湯豆腐を拵（こしら）えるにしても、その豆腐のよいものを探し当てねばならない。それでなくって、醤油（しょうゆ）だ、薬味（やくみ）だといって、それらにばかりやかましくいったところで、もちろん、それもやかましくいわねばなりませんが、それら工夫のことは第二義のことで、それよりも豆腐の吟味（ぎんみ）が第一義なのであります。材料の精選とともに材料の原味を殺さぬこと、その味というものは、科学や人為(じんい)では出来ないものでありますから、それを貴ぶのであります。

昆布（こぶ）、鰹節（かつおぶし）
――選定および出汁（だし）の取り方、削（けず）り方

料理には出汁が必要であります。出汁はふつうかつおぶしが使われて、東京では、あまりこぶは使わないようでありますが、出汁には、やはりこの両方とも、うまく使うのがよろしいと思います。それでどういうこぶがよいか、どういうかつおぶしがよいかということをお話しいたさねばなりません。東京ではどういうものですかあまりこぶの出汁を使わないようでありますが、ぜひとも、かつおぶしの出汁とこぶの出汁とは使い分けして使うがよいと思います。こぶにしても、かつおぶしにしても、土産物（みやげ）にもらったとか、あり合わせのというのでは、どうもおもしろくありません。

かつおぶしはどういうふうにして削るか、どういうふうにして材料を選択するか。かつおぶしとかつおぶしとを叩き合わすと、カンカンとまるで

拍子木を鳴らすみたいな音でないといけません。虫の入った木のような、ポトポトしかいわない、湿っぽい匂いのするのはだめです。

ところで、みなさんのご家庭では鉋をもっておられましょうか。切れ味のよい鉋でなければ、完全にかつおぶしを削ることはできません。赤錆になったり、刃の鈍くなったもので、ゴリゴリとごつく削っていたのでは、かつおぶしが例え一円【編者注＊原稿は昭和八年のもの。現在の価いで五千円程度】のものでも、五十銭の値打ちもしないものになります。どんなふうに削ったのがいい出汁になるのかと申しますと、削ったかつおぶしがまるで雁皮紙のごとく薄く、ガラスのように光沢あるものでないといけないのであります。こういうのでないと、よい出汁が出ないのであります。

削り下手なかつおぶしは、死んだ出汁が出ます。生きたいい出汁をつくるには、どうしても上等のよく切れる鉋を持たねばなりません。そして出汁を取るには、グラグラッと湯のたぎるところへ、サッと入れた瞬間、充分に出汁ができているのです。それを、いつまでも入れておいて、クタクタ煮るのでは、碌な出汁は出ず、かえって味を損うばかりです。いわゆる二番出汁というようなものにしてはいけません。それで刃のよく切れる、台の平らな鉋をお持ちになられることをお勧めいたします。かつおぶしを薄く削るということは、非常に経済的であり、味について効果的でもあります。ごつい鉋でゴツゴツ削るのでは、まったくかつおぶしを殺してしまって、百匁の物でも五十匁の用にしかなっておらぬというようなことです。こんな矛盾が世間には行われがちではないかと思います。

　こぶ出汁のことは、東京では料理屋でさえあまり知らないようです。これは東京には、こぶを使うという習慣がなかったからでしょう。こぶの出汁は、実に結構なものでありまして、さかなの料理にはこぶ出汁にかぎります。かつおぶしの出汁では、さかなの味が二つ重なるので、どうしても具合の悪いものができます。この味のダブルということがくどいのであります。こぶを出汁に使う法は、古来、京都で考えられたことです。ご存知のように、京都は千年もつづいた首都でありましたから、北海道で産出されたこぶが、はるかな京都という山の中で、実際上の需要から必要に迫られて、こぶ出汁を取るまでに発達したのでありました。

こぶの出汁を取りますのは、こぶを水でぬらしただけで、五分間か三分間、間をおき、こぶの表面がほとびれた感じのする時、水道の水で、ジャーッとさせないで、音もせず身動きもしないで、トロッと出る水をこぶに受けながら、指先で器用にいたわって、だましだまし、こぶの表面の砂、ゴミみたいなものを落とすのです。

そのこぶを熱湯の中へサッと通す。それでいいのであります。これでは、出汁が出たかどうかと訝(いぶか)しがられるかも知れませんが、これで充分、出汁ができているので、出たか出ないかは、ちょっと汁をなめてみるのです。これで、実に気の利(き)いた出汁ができています。

量はどれくらい要（い）るかは、実習いたしますと、すぐお判りになります。

この出汁は、たいの潮（うしお）などのときは、ぜひともこれでなくてはなりません。こぶを湯からサッと通したきりで上げてしまうのは、なにか惜しいように考えて、長くいつまでも煮るのは、こぶの底の甘い味が出て、決して気の利いた出汁はできません。京都辺（あたり）では引き出しこぶといって、なべの一方からこぶを湯に入れて、底をくぐらして、一方から引き上げる、こうしたやり方をしていますが、これでありますと、どんなやかましい食通でも満足し、文句がないということをいっています。

よい料理には「味の素」は不可

「味の素」は近来非常に宣伝されておりますが、私は「味の素」の味は気に入らない。料理人の傍らに置けば、不精から、どうしても過度に使うというようになってしまいますから、その味に災いされます。私どもは「味の素」をぜんぜん料理場に置かぬことにしています。「味の素」も使い方でお惣菜的料理に適する場合もあるでしょうが、そういうことは上等の料理の場合ではありません。今のところ、とにかく高級を意味する料理のためには、なるたけ「味の素」は使わないのがよいと思います。

なんとしても上等の料理、最高の料理には、私の経験上「味の素」は味が低く、かつ、味が一定していけないと思います。こぶなりかつおぶしを自分の加減で調味するのがよいと思います。

蔬菜（そさい）は新鮮入手に努力すべし

野菜料理は相当の年配の方に好まれます。また、健康上からも、たいへんによろしいのであります。私は鎌倉で陶器をやっていますから、そこにわずかの畑を持っていまして、だいこんでも里芋（さといも）でもねぎでも、採（と）りたてのものばかりしか食べていませんが、この採りたてのものは、質が違うと思われるほど美味（うま）いものです。採ってから少しでも時間が経つと、どうも問題にならぬくらい味が落ちます。東京ではそういうことはできませんが、鎌倉ですと、お客をしましても、膳を出す三十分なり四十分なり前でなければ、畑から採らせないのであります。

里芋でありますなら、掘る洗う煮るという具合に続けますと、その芋が少々性のよくないものでも、相当に食べられる。性がよければ、この上、美味いことはないのであります。今は松茸の時節でありますが、松茸にしましても、この頃の山へ行って、採った場所ですぐさま食べるのが一番美味いのです。京都あたりから、たくさん送られて来るのですが、途中籠の中で変育して、届いたときは発送時より大きく育っています。栄養を摂取しなくて育つのですから、痩せるに決っています。従って変味します。筍にしましても、送ったときに五寸のものが、届いたときは六寸になっているという現象があります。これは野菜が生きたようで、実は死味に近づきつつある証拠です。ですから、ほんとうに生きているものを食べる――という心がけが美食には必要となります。生きた野菜でなければ、真の美味は摂取できないわけです。

　さかなや野菜の生きているか死んでいるかを見分けるには、さかなでは容易に分っても、野菜では簡単に判りません。だから野菜では採りたてがよい、採りたてに近いほどよいとしてあります。たいなど大きいものになりますと、一日二日おいた方が、かえって味がよいこともありますが、野菜は採りましてからも、ある期間、不自然な発育をしていますから、その処理に工夫を要します。例えば、ねぎにしますなら、青いところを摘(つ)んでしまって、白根だけにしておきます。それでないと、青い部分を育てて白根の養分をなくしますから、そうしないようにする。また、だいこんでありましたら、葉をつけたままだと、葉を育てるためにだいこんの方から養分が取られますから、葉を切り放して、葉はすぐ糠味噌(ぬかみそ)に入れるなどした方がよろしいのです。

　野菜を扱うのには、このようなちょっとしたコツがあると思います。けれども、なんといっても、採りたての野菜を、すぐさま使うよりよいことはないのであります。

魚も鳥も、大はある時を経てよし、小は新鮮にかぎると知ること

魚とか鳥とかの大きいものは、相当時間が経過して味のよくなるものがあります。けれども小さいもの、鳥でいえば、鶫（つぐみ）と鶉（うずら）とか雀（すずめ）とか、魚でなら、いわしとかあじとかいいますものは、獲（と）りたて、または締めたてでなくては美味（うま）くありません。

大きいものならば、海から山から得て、五日あるいは三日を経過して、かえって味がよいものがあります。

生きた食器、死んだ食器

そこで食器のことになりますが、せっかく骨折ってつくった料理も、それを盛る器が死んだものでは、まったくどうにもなりません。料理がいくらよくても、容器が変な容器では、快感を得ることができません。私は生きた食器、死んだ食器ということをいっておりますが、料理を盛って、生きた感じがしますのと、なにもかも殺してしまう食器とがあります。茶人という者になりますと、向付（むこうづけ）に五千円、なにに五百円という具合に、よい器を欲します。それは生きた食器だからであります。食器が下（くだ）らぬものでは料理まで生きませんから、料理と食器とが一致し、調和するように心がけるのであります。

その食器を選ぶということも、ただやかましくいうだけのことではなく、食器そのものを愛し、取り扱うことが楽しみであり、その食器をいたわりいたわり扱うというところに、料理との不二（ふに）の契（ちぎ）りが結ばれるのです。食器が楽しいものになれば、必然、料理が楽しいものになるのです。それはあたかも、車の両輪のようなものでありましょう。

結局、料理は好きでつくる以上の名法はない

実際、料理といいますのは、好きでつくるというのでなくてはなりません。それが趣味であります。ただ知って美味(うま)くつくるという知識だけではなく、温かい愛情で楽しみながらやるという気持であります。だから、食器のことなども心がけることによって、美術の趣味を深くすることができます。そうしてだんだんと調子の高いものを求めることです。

みなさんが帝展【編者注＊戦前、国が主催した美術展。戦後は日展となる】をごらんになれば、いいお気持になられましょう。それは美術に対する要求が満足するからです。

ところが、さらに高くなると、博物館へ行くということになります。食器の美的鑑賞も向上してくるのでありますし、食物の上にも美をそういう

ふうに表わすようになります。すなわち、切り方だとか、盛り方だとか、色だとか、いろいろなことに心が届くようになるのであります。

結局、料理というものは、好きでやるのでなくてはだめだということになるのであります。主人がやかましいから一応知っておかなければ、というような了見では高の知れたものであります。好きでおもしろく、楽しんで料理をおやりになられるまで進まれるように希望いたします。

終わりに、醤油について、ひと言申し上げておきたいと存じます。濃口醤油ではどうもよい料理ができないのです。薄口というのがあります。これは播州竜野でできるのですが、関西では昔から使われています。東京にはこれまでありませんでした。近頃、山城屋には置いています。実際、薄口でなければ、ほんとうによい料理はできません。色はつきませんし、しかも、値段は安く、塩分が多いからよくのびて、経済からいっても大いに安いし、まったく料理には薄口がなければならないといってもよいでしょう。

それから、刃物のことなどもお話しいたしたいのですが、時間もございませんので、簡単にいいますが、どうか刃物もよく切れるのをお使いになっていただきたい。そしてよく切れると、切るのがおもしろいから、自然、料理に興味が持てるということになるのであります。

第六章　魯山人料理おぼえがき

味覚馬鹿（ばか）より

飽きるところから新しい料理は生まれる。

料理は自然を素材にし、人間の一番原始的な本能を充(み)たしながら、その技術をほとんど芸術にまで高めている。

日本人が常に刺身を愛し、常食するゆえんは、自然の味、天然の味、すなわち加工の味以上に尊重するところである、と私は思っている。

すべて本来の持ち味をこわさないことが料理の要訣である。これができれば俯仰天地に愧ずるなき料理人であり、これ以上はないともいえる。

料理の世界にしても、これですべてがわかったという自惚れは許されぬ。
いつもいつも夢想だに出来ないことが存在することを知らねばならぬ。

いいかね、料理は悟ることだよ、拵える（こしら）ことではないんだ。名人の料理人というものはみなそれなんだね。

味覚は体験に学ぶ以外に道はない。良体験をもったものは、よい料理ができ、よい味覚がそなわり、幸せであり、美味(うま)いもの食いの資格が高い。

わさびもどこで採れた、どのくらいの大きいものがいい、というようなことは誰でもよく話すことである。だが、どんなわさびおろしで、どんなふうにおろすのか知っている人は、存外玄人の中にすら少ないものである。

そういえば、台所道具がどこの家もなっていない。よく切れるいい庖丁、大根おろし、わけてもかつおぶしを削る鉋のごとき、どれも清潔で、おのおの充分の用に耐えるべき品が用意されていないように思う。

砥石は庖丁に刃をつける時に使え。使用後の手入れをちょっと怠けると、すぐに庖丁はさびのきものをきてしまう。たまねぎも、きものを脱がして食べるのだから、庖丁も、きものを着たまま使うな。

料理も美味い物好き、よい物好き、なにかと上物好き、いわばぜいたく者であってこそ、筋の通った料理が生まれるのである。

低級な食器にあまんじている者は、それだけの料理しかなし得ない。こんな料理で育てられた人間は、それだけの人間にしかなり得ない。

料理といっても数々ござる。料理屋の料理、家庭料理、富者の好む料理、貧者の料理、サラリーマン級の料理、都会料理、田舎料理、老人好み、若人好み、少年少女向き、病人向き……。すべからく料理をつくる者は、この別を心得、いやしくも自分の好みだけを押しつけてはならない。

客になって料理を出されたら、よろこんでさっそくいただくがよろしい。遠慮しているうちに、もてなした人の心も、料理も冷めて、不味（まず）くなったものを食わねばならぬ。しかも、遠慮した奴にかぎって、食べ出せばたいがい大食いである。

腹が空(へ)ってもひもじゅうない、というようなものには食わせなくてもよい。
腹がいっぱいでもまだ食いたい、というようなやつにも食わせなくてもよい。

京都は、昔から料理がもっともよく発達していた。ここには長く皇居があった。しかも、四周（ししゅう）山々に囲まれて、料理の料理とすべき海産の新鮮なさかながなかった。ここに与えられた材料は、豆腐、湯葉（ゆば）、ぜんまいなどであった。この一見まずい材料をもってして、貴族、名門の口を潤（うるお）すべき料理を考案しなければならなかった。こうした材料、こうした土地柄が、立派な料理の花を咲かせたのは理の当然といえよう。

日本料理は日本の美しい器にて、これは茶道にてきわめられている。けれども、今日(こんにち)の日本料理はもっと豊富なものになっている。また、科学的方面からも考察されている。われわれの味覚の嗜好(しこう)にも変化を来たしている。料理に使用される材料にしても、時代的な変遷(へんせん)が大いにあるであろう。今日の料理の堕落は商業主義に独占されたからだと考えられる。家庭の料理は滅びる。家庭の料理が滅びることは、それだけ心身ともに不健康な人間が多くなることだ。

誰でもふつうに、商売人の手になった料理は、美味（うま）いものかのように考えるが誤認である。なるほど、商売人は料理の玄人（くろうと）である。しかし、玄人はいろいろの条件において料理をする。第一に値段を考えて料理をするであろう。邪道であるけれども、商売上であれば、採算のとれるようにするのが第一義で、料理は第二義。ここに堕落がある。しかし、仕方のないことである。だから、われわれは玄人の料理だからといって、金出して食う料理は、美味いものとするのが誤り。そして、それが家庭の料理をも滅亡に導いてしまったのである。

家庭の料理、実質料理、一元料理、そこにはなんらの思惑がはさまれていない。ありのままの料理。それは素人の料理であるけれども、一家の和楽、団欒がそれにかかわっているのだとすれば、精一杯の、まごころ料理になるのである。味噌汁であろうと、漬ものであろうと、なにもかもが美味い。それを今日の簡単主義と、ものぐさ主義が、商業料理へ追いやってしまって、家庭の料理は破滅に陥ったのである。

まぐろはいつ頃、どこで獲（と）れたのが美味（うま）いとか、たいはどうして食べるべきであるとかいうようなことを知っているのが、いかにも料理の通人のごとく思われている。

だが料理はそんなものではない。ほんとうに美味いものを食べたいと思う食通は、まず飯（めし）を吟味（ぎんみ）しなくてはならぬ。飯のよしあし、また飯と平行して、煮だしこぶのよしあし、これを果してどのくらい知っている人があるだろうか？

美食は物知りになることではない。もっともよく使われる、手近な、料理の原料になる、これらのものを正当に知らなくてはならぬ。

料理の本義といったところで、別段むずかしいことはない。要するに美味いものを食うことである。しかし、美味いものといっても、値段の高い安いには関係がない。美味いものといえば、工夫によると思う者もあるだろうが、工夫だけでもだめだ。

料理のよしあしは、まず材料のよしあしいかんによる。材料の選択次第である。だから、材料の眼利きが肝心である。これは今まであまりいわれなかったが、従来の料理論のエアポケットだ。どのだいこんが、どのたいが、どのかつおぶしが美味いか、という鑑定、これがまず第一で、これを今まではお留守にしていた。これを抜かしては問題にならん。材料を見分ける力をまずつけること。こぶでも、ピンからキリまである。つまり、人絹(じんけん)と本絹(ほんけん)との区分で、自然のものにも人絹みたいなつまらんものもある。

私が自分自身でふしぎなと思われるくらい考えつづけているのは食物(くいもの)、すなわち、美味研究である。つまらないものを食って、一向気にしない人間を見ると馬鹿にしたくなる。私は今でも自炊(じすい)している。三度三度自己満足できない食事では、すますことができないからだ。美食の一生を望んでいる。傾聴(けいちょう)すべき食物話が乏しくなったことは晩年の私を淋(さび)しがらせる。

この点でも私は孤独だ。

北大路魯山人略年譜

◎作成＝高丘卓（編者）

一八八三年――明治16年
三月二十三日、京都府愛宕郡上賀茂村に生まれる。父、清操、母、登女（とめ）。しかし妻・登女の不義の子と知って、父は魯山人出生の四ヶ月前に割腹自殺をとげる。本名は房次郎。北大路家は上賀茂神社の社家だったが、、生活が困窮していたため、すぐに服部家へ養子に出される。

一八八九年――明治22年…六歳
福田家の養子となる。梅屋尋常小学校に入学。

一八九三年――明治26年…十歳
小学校卒業と同時に烏丸二条の「千坂和薬屋」へ丁稚奉公に出される。

一八九六年――明治29年…十三歳
日本画家を志し京都絵画専門学校への入学を希望するが、経済的な問題により叶えられず、養家の木版業を手伝う。

一八九九年――明治32年…十六歳
西洋看板（ペンキ看板）の仕事により収入を得て書の研究に力を入れる。

一九〇三年――明治36年…二十歳

徴兵検査を受けるが近視のため兵役免除となる。生母が千駄ヶ谷の男爵四条隆平邸に奉公していることを知り、会いに行くが冷淡にあしらわれ落胆する。その際、四条隆平より名書家への紹介状を貰う。

一九〇四年――明治37年…二十一歳
紹介状をもとに書家を訪ねるが師事せず。十一月、日本美術展覧会書の部に隷書「千字文」を出品し、一等賞二席を受賞する。

一九〇五年――明治38年…二十二歳
京橋の町書家、岡本可亭（岡本太郎の祖父）宅に住み込み、内弟子となる。

一九〇七年――明治40年…二十四歳
福田鴨亭の号を貰い独立、版下書き書道教授で生計を立てる。

一九〇八年――明治41年…二十五歳
二月、京都から呼び寄せていた安見タミと結婚。七月、長男の桜一生まれる。やがて書を学びに来ていた藤井せきと恋愛関係になる。

一九一〇年――明治43年…二十七歳
四条家を出されていた生母とともに、失踪するように義兄のいる朝鮮へ赴く。韓国総監総督府印刷局に勤務しながら篆刻を学ぶ。三月、次男の武夫生まれる。

一九一二年――大正元年…二十九歳
上海で書画篆刻家の呉昌碩を訪ね、感銘を受ける。帰国後、実家に戻っていた妻子を呼び寄せ、再び京橋で書と篆刻の看板を掲げる。

一九一三年――大正2年…三十歳
福田大観に号を改める。京都の豪商内貴清兵衛の知遇を得、書画骨董および料理への感覚が磨かれる。

一九一四年――大正3年…三十一歳
タミと離婚。

一九一五年――大正4年…三十二歳
北大路の籍に戻り、長男の桜一を福田家の相続人とする。細野燕台の面識を得、陶芸家の須田菁華の窯場で陶磁器を自作する。

一九一六年――大正5年…三十三歳
一月、藤井せきと結婚。北大路魯卿の号を用いる。

一九一九年――大正8年…三十六歳
中村竹四郎と京橋南鞘町に美術骨董店「大雅堂芸術店」を開く。

一九二〇年――大正9年…三十七歳
「大雅堂美術店」と改称。十一月、『栖鳳印存』(大雅堂美術店)を編集刊行。

一九二一年――大正10年…三十八歳
大雅堂美術店の二階に会員制食堂「美食倶楽部」を発足。

一九二三年――大正12年…四十歳
関東大震災により大雅堂美術店が全焼する。芝公園内「花の茶屋」にて再開。

一九二四年――大正13年…四十一歳
青磁器の制作を始める。
十二月、『常用漢字三体習字帖』(日本書院)を刊行。

一九二五年――大正14年…四十二歳
赤坂の日枝神社境内「星岡茶寮」を再興し、約四百名の美食倶楽部会員が利用することになる。中村竹四郎共同経営。

一九二六年――昭和元年…四十三歳
九月、次男の武夫死去。北鎌倉に七千坪の土地を借り、窯場を建設。

一九二七年――昭和2年…四十四歳
窯場が整備され、「魯山人窯芸術研究所星岡窯」の看板を掲げる。十月、せきと離婚、島村きよと結婚。

一九二八年――昭和3年…四十五歳

二月、長女の和子生まれる。五月、朝鮮南部の古窯跡を発掘調査。六月、日本橋三越で「星岡窯魯山人陶器展」を開く。この年、二度にわたり久邇宮夫妻を星岡窯に迎える。

一九三〇年――昭和5年…四十七歳
十月、タブロイド版月刊紙『星岡』（刊元）を創刊、美濃古窯の発見などを報告する。

一九三一年――昭和6年…四十八歳
八月、『古染付百品集』上巻（便利堂）を刊行。

一九三二年――昭和7年…四十九歳
一月、『古染付百品集』下巻。三月、『魯山人家蔵百選』『魯山人作陶百影』（いずれも便利堂）を刊行。

一九三三年――昭和8年…五十歳
銀座に星岡茶寮の支店「銀茶寮」を開く。
二月、『魯山人作瓷印譜』『魯山人小品画集』（ともに便利堂）を刊行。

一九三四年――昭和9年…五十一歳
九月、上野松坂屋にて「北大路家蒐集古陶磁展覧会」を開く。

一九三五年――昭和10年…五十二歳

この頃、星岡茶寮の会員は約千二百名、料理人三十名。十一月、「大阪星岡茶寮」を開設。

一九三六年——昭和11年…五十三歳
中村竹四郎と対立、星岡を追われる。魯山人は中村を告訴。

一九三七年——昭和12年…五十四歳
北鎌倉の窯場で注文品の作陶に専念する。

一九三八年——昭和13年…五十五歳
七月、きよと離婚。十二月、料理研究家の熊田ムメと結婚するが、ムメは数カ月で魯山人のもとを去る。

一九三九年——昭和14年…五十六歳
日本橋白木屋食料品部に「魯山人優良味覚研究所売場」を開設する。

一九四〇年——昭和15年…五十七歳
この頃より作画に精を出す。十二月、芸妓の中道那珂能と結婚。

一九四二年——昭和17年…五十九歳
那珂能と離婚。

一九四三年——昭和18年…六十歳
漆器の制作に専念する。

一九四五年――昭和20年…六十二歳
五月、空襲により星岡茶寮が消失。細野燕台の仲介により中村竹四郎と示談、北鎌倉の窯場と蒐集美術品の大半を得る。

一九四六年――昭和21年…六十三歳
銀座五丁目に自作の直売店「火土火土美房」を開設する。北鎌倉の窯場を「魯山人雅陶研究所」と改称。

一九四八年――昭和23年…六十五歳
復員した長男の桜一が作陶を手伝うようになる。

一九四九年――昭和24年…六十六歳
一月、桜一死去。四月、金沢の成巽閣にて「魯山人作品発表会」を開く。

一九五一年――昭和26年…六十八歳
パリのチェルヌスキー美術館で開催された「現代日本陶芸展」に作品が出品され好評を博す。ヴァローリスで開かれた同展覧会ではピカソが魯山人の作品に注目する。十月、日本橋高島屋で「北大路魯山人展」を、十二月、丸の内工業倶楽部で「小品絵画および書道展」を開く。イサム・ノグチ夫妻が魯山人邸離に入居する。

一九五二年――昭和27年…六十九歳

一月より四カ月ほど金沢で療養生活を送る。五月、イサム・ノグチらと岡山の金重陶陽を訪ね、備前焼を試みる。六月、個人誌「独歩」を創刊。十月、日本橋高島屋で「魯山人作陶二十五年記念展」を、十二月、丸の内工業倶楽部で「魯山人新作研究展示会」を開く。

一九五三年――昭和28年…七十歳

一月、ロックフェラー三世夫人が魯山人を訪問。平野雅章が「独歩」の編集に携わるようになる。パナマ船籍アンドルー・ディロン号の喫煙室の壁画「桜」「富士」を制作。

一九五四年――昭和29年…七十一歳

一月、日本橋高島屋で「魯山人外遊直前作展会」を開く。四月より約二カ月半ほどジャパン・ソサイエティ(日米協会)の招聘によりアメリカ・ヨーロッパの各地を旅行(平野雅章、秘書として随行)。四月下旬よりニューヨーク近代美術館で「魯山人展」が開催される。作品は欧米各都市の美術館および美術大学に寄贈。旅行中、ピカソやシャガールを訪問する。十月、日本橋高島屋で「魯山人帰朝第一回展」を開く。

一九五五年――昭和30年…七十二歳

新潟市で「魯山人作品展」、高岡市で「帰朝記念展」、金沢市で「魯山人展」、日本橋高島屋で「魯山人展」を開催。春と秋の二回、京都美術倶楽部で「魯山人作品展」が開かれる。この年、重要無形文化財織部焼（人間国宝）認定の承諾を求められるが辞退。

一九五六年――昭和31年…七十三歳
京都美術倶楽部で「魯山人作品展」、日本橋高島屋で「第五十回個展」を開く。

一九五七年――昭和32年…七十四歳
日本橋高島屋および大阪高島屋で「新作雅陶展」、名古屋名鉄百貨店で「第五十三回魯山人作品展」、京都美術倶楽部で「第五十四回作陶展」を開く。

一九五八年――昭和33年…七十五歳
日本橋高島屋、松江市公会堂、京都美術倶楽部で「魯山人作陶展」を、日本橋壺中居で「魯山人近作陶芸展」を開く。

一九五九年――昭和34年…七十六歳
京都美術倶楽部で「魯山人書道芸術個展」を開く。好物のタニシを食べ、肝臓ジストマとなる。十一月、尿閉症となり横浜十全病院に入院、前立腺肥大症および胃潰瘍の手術を受ける。十二月二十一日午前六時十五分、肝硬変により死去。二十四日、自邸で神式による葬儀が執り行われる。

【初出・所収一覧】（本書の題名および＊印の各章の題名や惹句は編者が独自に付けたものです）

第一章　和の味覚は茶漬けにはじまる＊

塩昆布の茶漬け……「星岡」一九三二年
鮪の茶漬け……「星岡」一九三二年
鱧・穴子・鰻の茶漬け……「星岡」一九三二年
車蝦の茶漬け……「星岡」一九三二年
京都のごりの茶漬け……「星岡」一九三二年

第二章　鍋さえあれば胃も心もまるくおさまる＊

鍋料理の話……「星岡」一九三四年
一癖あるどじょう……「朝日新聞」一九三八年
夜寒に火を囲んで懐しい雑炊……「朝日新聞」一九三九年

第三章　魚の味の見分け方、食べ方＊

鮪を食う話……「星岡」一九三〇年

*編者注——本書に右記作品を収録するに際し、『魯山人著作集』(五月書房　一九九三年版)を定本としました。
また、本書は魯山人の最後の側近で食物史家の故平野雅章氏の編集協力を得て成立しました。

魯山人の和食力
日本料理の極意

2020年5月15日　　初版第1刷発行

著　者　北大路魯山人

発行者　笹田大治
発行所　株式会社興陽館
〒113-0024
東京都文京区西片1-17-8 KSビル
TEL 03-5840-7820
FAX 03-5840-7954
URL https://www.koyokan.co.jp

編　者　高丘 卓
校　正　新名哲明
印　刷　惠友印刷株式会社
製　本　ナショナル製本協同組合

ISBN978-4-87723-257-3 C0095